베트남 라이징

VIETNAM RISING
베트남 라이징

베트남의 부상과
한국의 기회

유영국 지음

클라우드나인
CLOUD 9

프롤로그

왜 전 세계가 베트남을 주목하는가

줄탁동시啐啄同時는 병아리가 부화되기 위해 어미 닭이 밖에서 쪼고 병아리가 안에서 쪼아 알을 깨고 나온다는 뜻의 사자성어이다. 뭔가 일이 잘되려면 내부 역량과 외부 환경이 적절히 조화가 되어야 한다는 말인데 지금의 베트남의 상황을 정확하게 표현한 것이라고 생각한다.

전체 인구 1억 명 중 생산가능인구가 70퍼센트를 차지하고 평균 연령이 32.5세로 인구 절반이 30세 이하인 황금 인구 구조이다. 정부가 군과 경찰을 확실히 장악해서 정치 사회적으로 안정되어 있고 일반 국민과 사회 전체가 공부하고 새로운 것을 배워서 현재의 위치에서 더욱 발전하고자 하는 열망이 가득하다. 베트남은 이런 내부적인 요소만으로도 그간 세계에서 각광받는 투자처가 되었는데 외부 환경 또한 빨리 중진국으로 부화시키려고 마구 쪼아대고 있다. 그 외부 환경이란 바로 '미중 갈등'이다. 베트남은 미중 갈등으로 인해 미국으로부터의 무역 마찰을 피하는 대피처를 넘어 중국

미중 갈등

베트남은 중국을 대체할 '세계의 공장' 기지로 떠오르고 있다.

경제를 약화시키고 '세계의 공장' 역할을 부분적으로 대체할 생산 기지로 떠오르고 있다. 코로나 팬데믹으로 전 세계 환율이 요동치고 미국달러 가치가 급등하는 킹달러 현상으로 신흥국은 물론 선진국마저도 물가가 치솟아 어려움을 겪었다. 그러나 베트남은 안정적인 환율을 유지하면서도 미국 국무부의 '환율조작국' 감시 대상에서 번번이 제외되었다. 베트남에 대한 미국의 보이지 않는 배려가 역력해 보인다.

게다가 미국과 일본이 베트남을 군사적으로도 적극적으로 지원하고 있다. 미국과 일본을 중심으로 베트남이 동해(남중국해)에서 중국과 군사 충돌에서 밀리지 않게 1척에 2,000억 원이 넘는 군함, 수십 척의 순시선, 고속정을 지속적으로 지원하고 있다. 2021년 베트남을 방문한 미국 카멀라 해리스 부통령은 노골적으로 "베트남이 중국과 영토 분쟁을 겪는 해역에서 미국 해안 경비 요원을 파견

러시아와 베트남은 절대적인 동맹관계이다.

하는 것을 지지하며 남중국해에서 '강력한 주둔을 유지할 것'이라고
까지 했다. 베트남이 20여 년 동안 전쟁했던 미국과 손잡고 중국을
견제하게 된 것이다.

　여기에 인도는 차관 형태로 베트남에 돈을 빌려주고 러시아제 초
음속 순항 미사일을 베트남이 구입할 수 있게 했다. '항공모함 킬
러'라 불리는 초음속 순항 미사일로 인해 중국은 베트남 동해에서
마음껏 항공모함을 운용할 수 없게 되었다. 최근 들어 중국과 가깝
게 지내는 러시아이지만 베트남과는 절대 동맹관계인지라 인도의
반중 행보를 묵인해 버렸다. 세계에서 손에 꼽히는 강대국들이 베
트남을 적극적으로 지원하고 있다. 베트남이 중국의 군사 위협에
대항하기 위해 국가의 부를 경제 발전과 국방 모두에 쏟아붓기에는
턱없이 부족하다. 그런데 미국을 중심으로 한 반중 국가들의 도움
으로 한숨 돌리며 경제 발전에 집중할 수 있게 되었다.

베트남은 미국에도 적당히 선을 긋고 중국을 달래며 실리 외교를 펼치고 있다.

　미국과 중국의 싸움에 베트남이 끼어들어 오히려 국가 상황이 위험해진 것이 아닌가 하는 일각의 우려도 있다. 중국이 대만보다 먼저 베트남을 침공하는 것이 아니냐는 억측도 있다. 하지만 '줄타기 외교의 고수' 베트남은 미국과 중국 사이에서 적당히 기울었다가 다시 반대편으로 몸을 움직이며 어느 한쪽 편을 들지 않고 본인들의 실리는 다 챙기고 있다. 팜 꽝 빈Pham Quang Vinh 전 주미 베트남 대사가 베트남 현지 언론 VN익스프레스VN Express에 기고한 글에는 베트남의 외교 스탠스가 분명해 보인다.

　'베트남을 비롯한 아세안 국가들은 어느 편을 들거나 평화와 안전을 해치거나 국제법을 무시하는 그러한 경쟁을 원하지 않는다. 베트남과 아세안 지역의 중요한 파트너인 미국과 중국은 이 점을 분명히 알아야 한다.'

　베트남의 오랜 외교 방향은 그 누구의 편도 들지 않는다. 누군가를 공격하기 위해 또 다른 누군가와 군사동맹을 맺고 전쟁을 하는 일은 절대 없다는 것이다. 실제로 시진핑 중국 국가주석이 3연임을 확정 짓자마자 가장 먼저 만난 외국 정상은 의외로 베트남의 권력 서열 1위인 응우옌 푸 쫑Nguyen Phu Trong 공산당 서기장이었다. 베트남이 중국을 대체할 생산기지로 부상하고 있고 미국과도 가까워지자 관계 개선에 나선 것이다.

이웃한 강대국과 사이가 안 좋아 봐야 좋을 것이 없는 베트남은 이에 적극적으로 호응했다. 시진핑 주석이 직접 주재한 베트남 당서기장 환영식에 중국 최고지도부 전원이 참석했고 시진핑 주석이 외국인에게 주는 최고 예우의 훈장을 직접 수여하면서 쫑 서기장을 극진히 대접했다. 뜨거운 환대 속에 중국 방문 일정을 끝낸 베트남 서기장은 공식 담화를 통해 "어떤 국가에도 베트남에 군사기지를 건설하는 것을 허용하지 않을 것이고 또 그 어떤 군사동맹에도 가담하지 않을 것"이라고 화답했다. 베트남은 미국에도 적당히 선을 긋고 중국을 달래며 중국의 제로 코로나 정책으로 막혀 있던 베트남 농산물 수출을 재개하며 실리란 실리는 다 챙겼다.

이 와중에 유럽연합EU이 베트남에 본격적인 투자를 서두르고 있다. 2021년 유럽연합과 베트남 간 자유무역협정FTA이 발효되면서 유럽연합의 베트남 투자가 늘어난 것이다. 지난 30년간 베트남에 투자한 국가들을 보면 1위부터 10위까지 아시아 국가들이 대부분이다. 베트남은 아시아 국가들의 투자만으로도 전 세계에서 주목받는 시장이었다. 그런데 이제 미국과 유럽 자본이 베트남에 본격적으로 들어오고 있으니 더더욱 발전할 수밖에 없다. 내부의 발전 상황에 의해서도, 외부의 미중 갈등 속 국제 정치 논리에 의해서도 발전할 수밖에 없는 상황이다. 이렇게 호재를 맞은 베트남을 두고 우리나라 엉터리 유튜버들이 가짜 뉴스를 쏟아내고 있다.

주요 한국 기업들이 앞다투어 철수하면서 베트남 경제가 부도 위기에 처했다는 등의 황당무계한 내용이 난무하고 있다. 조회수를 올려 돈을 벌려는 치기 어린 유튜버들의 장난으로 받아들이기에는 그 파급 효과가 크다. 베트남에 진출한 한국 기업들의 활동에 악영향을 끼치는 것은 물론이고 양국 간 외교 갈등을 일으키고 우호적인 국민감정마저 무너뜨릴 정도로 내용이 악의적이다. 이런 엉터리 가짜 뉴스에 과민하게 반응할 필요가 없다고 생각하는 분들도 많다.

하지만 일반인이 아니라 전문 투자자들마저도 베트남에서 필자를 만나면 가장 먼저 "정말 삼성이 베트남에서 철수하나요?"라고 묻는다. 베트남에서 10년 넘게 사업을 하고 있는 분들조차도 "LG나 현대자동차가 베트남에서 철수한다는데 어떻게 생각하느냐?"라고 묻는다. 가짜 뉴스 폐해가 심각하다. 필자는 베트남에 대한 악의적이고 조직적인 가짜 뉴스의 배후에 베트남과 한국의 우호적인 관계를 망가뜨려서 이득을 보려는 세력이 있다고 생각한다. 필자가 만난 한 국가기관의 베트남 전문가와 여러 국가의 대사를 지낸 외교관도 같은 의견이었다.

오래도록 아세안 지역에서 막강한 영향력을 행사하는 일본이 유일하게 한국에 밀리는 나라가 베트남이다. 일본은 오랜 기간 아세안 지역에 천문학적인 금액을 쏟아붓는 인프라 투자와 개발 원조 지원을 통해 강한 영향력을 확대해왔다. 하지만 유독 베트남에서만 맥을 못 추고 있다. 그리고 중국은 최근 20여 년 동안 아세안에서 새롭게 영향력을 끼치고 있다. 일대일로一带一路 정책으로 아세안 모든 국가에 투자하겠다며 일본의 영향력을 위협하고 있다. 그런 중국도 베트남에서만 힘을 못 쓰고 있다. 베트남에 대한 가짜 뉴스로 인해 한국과 베트남 관계가 안 좋아지면 이득을 보는 세력은 일본과 중국이다.

필자는 지난 10여 년간 시장 비관론자라는 말을 들으면서까지 베트남 거품론을 경고하고 베트남이 두각을 나타낼 2020년부터 베트남을 주목해야 한다고 말해왔다. 필자의 예측은 아쉽게도 코로나 팬데믹으로 인해 3년이 늦추어졌으나 오히려 그로 인해 중국에 집중된 글로벌 기업들의 생산기지들이 베트남으로 빠르게 이전하고 있다. 베트남 내부 역량과 유리하게 전개되는 외부 상황을 놓치지 말았으면 하는 심정에서 이 책을 출간하게 되었다. 이 책은 필자의 앞선 책『왜 베트남 시장인가』에 이은 베트남 시장분석 2탄 격이다. 지난 2년간 경향신문의 주간지『주간경향』에서「우리가 모르는 베트남」「가깝고도 먼 아세안」에 연재한 칼럼들을 모으고 추가로 새로운 내용들을 담았다.

이 책을 통해 베트남에 대해 알아가는 데 도움이 되시길 바란다.

2023년 7월
호찌민에서 유영국

차례

2장 베트남 정치외교력 • 65

1장

베트남 경제력

인트로

VIETNAM

베트남에는 의외의 모습이 많다. 우리도 모르게(?) 특정 분야에서 큰 성과를 거두거나 유망한 사업을 일구어내는 경우가 있다. 어느 덧 아세안 최고의 무역 강국이 되었고 재생에너지 사업 분야에서는 북미와 유럽 국가들로부터 다양한 지원을 받아 적극적으로 사업을 전개하고 있다.

베트남의 의외의 모습에는 우리나라가 큰 영향을 끼치고 있는 것들이 많다. 해마다 성장하는 베트남 수출액의 75퍼센트는 외국 기업들에 의한 것인데 그 절반가량이 한국 기업들이기 때문이다. 한국은 지난 30년간 누적 기준으로 베트남 투자 1위 국가이다. 최근 들어 중국과 일본이 베트남 투자액을 대폭 늘리고 있어 베트남에서 한국의 위치를 위협하고 있다. 이제는 베트남이 의외로 이런 모습이 있네 하고 신기해할 것이 아니라 지난 30년간 한국 기업들이 일구어 놓은 경험을 지렛대 삼아 다른 아세안으로까지 어떻게 확장할 것인가를 고민해야 한다.

1

왜 베트남 금융시장에 투자하는가

VIETNAM

'베트남 1년 정기예금 이자율 14퍼센트, 이자 소득 비과세'

2011년 머나먼 남쪽 나라 베트남 은행의 높은 이율은 재테크에 관심 많은 서울 강남 주부들을 흥분시키기에 충분했다. 당시 국내 시중 은행 1년 정기예금 금리가 4퍼센트였고 이자를 0.1퍼센트라도 더 받으려고 저축은행 특판 예금 가입을 위해 새벽부터 줄 선 시민들의 모습이 언론에 자주 보도되었던 터라 10년이 지난 지금도 기억이 생생하다. 당시 베트남에 진출한 국내 은행 지점으로 베트남 정기예금 가입 문의가 쇄도했다.

베트남에 있던 필자에게도 수많은 지인이 가입 문의를 해 상당히 곤혹스러웠다. 베트남 정기예금에 가입했을 경우 환차손, 각종 수수료, 베트남에서 합법적으로 돈을 번 것을 증명하지 못할 경우 한국으로 송금하기 위해서는 불법 환치기 이외에는 방법이 없는 점 등 수많은 리스크 등을 설명하며 신중한 투자를 강조했다. 그런데 2019년 국내 경제 방송에서도 여전히 베트남 정기예금 가입의 위

험성을 알리는 기사를 보도하고 있는 것을 보니 여전히 국내 투자자들의 베트남에 대한 관심이 높은 듯하다.

최근 코로나 팬데믹으로 인해 베트남을 찾는 개인 투자자는 뚝 끊겼지만 그 직전까지만 해도 한국에서 베트남으로 정기예금을 가입하러 투자 여행을 오는 사람들이 많았다. 2015년 7월 외국인도 베트남 부동산 구매가 가능해지게 법이 개정된 이후 베트남 부동산 투자 열풍이 불면서 베트남으로 여행도 가고 부동산 투자를 하거나 최소한 이율 높은 베트남 정기예금에 가입만 해도 여행 경비가 보존된다는 투자 여행 패키지가 성행했다. 이에 한 술 더 떠서 베트남에 진출한 한국 증권회사를 통해 베트남 주식 투자도 한창이다.

비자 없으면 9퍼센트 높은 이자는 그림의 떡이다

과거에는 법망을 피해 베트남 계좌에 투자할 방법이 많았다. 그러나 2019년 7월부터 외국인의 베트남 은행 계좌 개설에 관한 법규가 마련되어 현지 거주 중이거나 6개월 이상의 비자가 있지 않으면 예금 납부가 안 된다. 최근 미국 금리 인상으로 인해 베트남 1년 정기예금이 9.5퍼센트까지 치솟고 있고 이자는 비과세라 한국에서 다시 관심을 많이 갖지만 6개월 이상의 비자를 발급받지 못하면 그림의 떡이다. 2019년 은행 계좌 개설에 관한 법규가 개정되기 이전에 1~2년짜리 정기예금을 가입했던 분들은 코로나 팬데믹 기간에 베트남으로 입국하지 못해 발을 동동 굴렀다가 코로나 팬데믹이 풀리자마자 베트남에 들어왔지만 한국으로 송금하는 데 애를 먹어야만 했다.

한국으로 송금하려면 베트남에서 정당하게 돈을 벌어서 입금했

베트남의 주요 은행들

다는 것을 증명해야 하는데 투자 신고 없이 베트남에 가지고 온 돈은 해외로 송금할 수 없다. 베트남 현지 사설 환전소에서 달러로 바꾸어가지고 나오려면 환전 수수료가 발생한다. 게다가 베트남 출국 시 가지고 나갈 수 있는 현금은 5,000달러까지다. '설마 걸리겠어?' 하는 마음으로 5,000달러가 넘는 돈을 가지고 나갔다가 단속에 적발된 사람이 부지기수이고 돈은 모두 압수당했다. 조금 더 많은 이자를 바라고 한 일인데 뒷수습은 이렇게 어렵다. 베트남에 거주하는 한국인 교민들을 통해서 환전하다가 본인도 모르게 도박 자금을 불법 세탁한 사람이 되어 계좌 추적을 당하는 경우도 종종 있다.

한국과 일본은 베트남 금융 시장을 두고 투자 경쟁 중이다

베트남에는 자산 기준 4대 은행으로 국영 은행인 BIDV(베트남 투자개발은행), 비엣틴뱅크(Vietinbank, 베트남산업은행), 애그리뱅크(Agribank, 농업은행), 비엣콤뱅크(Vietcombank, 베트남무역은행)이 있다. 그 외 싸콤뱅크, MB은행, 테크콤은행 등 20여 개의 민간 은행들

호찌민에 한국계 은행을 포함해 외국 은행이 몰려 있다.

과 11개의 외국계 은행이 있다. 베트남 외국계 은행 중에 단연 돋보이는 곳은 한국의 신한은행이다. 1993년 첫 진출 이래 2023년 3월 기준 47개 영업점을 개설해 수년째 베트남 진출 외국계 은행 중 1위이다. 2017년 법인 인가를 받은 우리은행은 14개 점포와 6개 출장소를 운영 중이며 지속적으로 지점 수를 늘리는 공격적인 영업을 하고 있다. 하나은행은 2019년 11월 1조 원을 투자해 베트남 1위 BIDV의 지분 15퍼센트를 취득했다. 그 외 KB국민은행, 농협, 각 지방 은행들까지 한국의 어지간한 은행들은 모두 베트남에 진출해 있다. 일본계 은행들 역시 베트남 금융 산업에 공을 들이고 있다. 일본 미즈호은행은 비엣콤뱅크 지분 15퍼센트를 보유 중이며 미쓰비시은행은 비엣틴뱅크 지분 20퍼센트를 확보 중이다. 최근 베트남 언론에 따르면 도쿄미쓰비시은행은 지분 상향 제한이 풀리면 비엣틴뱅크 지분을 50퍼센트까지 확보하겠다고 공개적으로 언급했다.

다들 왜 이렇게 베트남 금융시장에 투자하는 것일까? 인구 1억 명에 가까운 베트남 금융시장의 어마어마한 잠재성 때문이다. 2019년

6월『베트남 파이낸스』가 베트남 중앙은행 발표를 보도한 기사에 따르면 4,500만 개의 베트남인 계좌가 개설되어 있으며 이는 동일인의 중복된 계좌를 제외한 수치이다. 베트남 전체 인구가 9,750만 명이니 전체 인구의 46퍼센트가 금융 거래를 하고 있으며 전체 성인의 63퍼센트에 해당하는 숫자이다. 이는 2015년 대비 2배 성장한 것이다. 베트남 사람들의 금융 거래 이용률이 빠르게 높아지고 있음을 보여준다. '금융 거래 이용률이 높아지고 있다'는 표현을 의아하게 생각할 수 있는데 거기에는 역사적인 배경이 있다.

1975년 미국과의 전쟁이 끝나고 베트남 정부는 베트남 경제권을 좌지우지하던 화교들을 축출하기 위해 두 차례에 걸쳐 화폐 개혁을 단행한다. 수많은 화교가 떠났고 이 때문에 지금도 아세안 국가 대부분의 경제권을 장악한 화교들이 베트남에서만은 영향력이 미비하다. 하지만 가지고 있던 돈이 순식간에 휴짓조각이 된 것을 본 베트남 사람들은 그 트라우마로 인해 금융 거래를 꺼려 했다. 그 때문에 베트남 사람들은 안정적인 미국 달러나 유로화와 같은 외화를 집 금고에 보관하는 것을 선호하고 무엇보다 보관하기 쉽고 어디에서나 자산 가치를 인정받을 수 있는 금을 사서 모았다. 그래서 베트남에서 가장 중요한 지표 중의 하나가 금 시세와 미국 달러 환율이다. 베트남 정부가 보유한 외환 보유고는 적지만 베트남 국민 전체가 보유한 금 보유량은 세계 10위 안에 든다는, 근거는 없지만 베트남에서 살아본 사람들은 다들 고개를 끄덕이는 말도 있다.

다행스럽게도 베트남 경제가 지속적으로 고성장하고 2015년부터 미국 달러 대비 환율 변화도 연간 2~3퍼센트 수준으로 안정적으로 유지되고 있어 베트남인들 사이에서 금융 거래에 대한 신뢰가 형성되고 있다. 몇 년 전 필자의 주거래 은행인 베트남 신한은행에서 호찌민 인근 지방의 부호가 1톤 트럭에 현금을 한가득 싣고서 예금을 하겠다고 한 일이 있었다. 은행 직원들이 인근 다른 점포에서 돈 세는 기계를 급히 공수해오고 종일 현금을 세느라 점포를 일찍 문 닫아야 했다. 요즘 베트남 MZ세대는 모바일 전자지갑으로 밥을 먹고 택시를 타며 영화표를 예매하지만 불과 몇 년 전만 해도 이렇게 머나먼 옛날이야기 같은 일들이 벌어졌었다. 앞으로 베트남의 발전을 예측하는 데 풍부한 상상력이 필요한 이유이다.

2

주식 시장을 이끈 F0은 누구인가

VIETNAM

전 세계 주식 시장에서 개인 투자자들이 지수를 끌어올리는 새로운 세력으로 부상하고 있다. 코로나 팬데믹으로 폭락한 주식 시장에 신규 개인 투자자들이 재미난 애칭을 달고 진입하면서 국가별로 경이로운 주식 지수를 만들어냈다.

한국에서는 코로나 폭락장 속에서 반등의 기회를 노리고 외국인과 기관의 대량 매도세에 반발 매수하는 개인 투자자들의 모습이 동학 농민 운동 같다 하여 '동학개미'라 부른다. 미국에서는 2008년 모기지 사태로 몰락한 중산층 출신의 젊은 개인 투자자들이 무료 증권 거래 앱을 통해 거대 자본에 맞서 투자를 한다고 해서 '로빈후드'라 칭한다. 한편 중국에서는 잘라내면 금방 자라나는 부추처럼 반복적으로 매입하며 주식 시장에 끊임없이 투자를 하는 1990년생 주링허우 세대를 일컬어 '청년부추'라 부른다. 일본에서는 대형 매도 세력에 대항에 재빠르게 움직이는 닌자처럼 대응한다고 해서 20~30대 젊은 투자자들을 '닌자개미'라 부르고 있다.

연도별 베트남 신규 증권 계좌 개설수

연도	신규 증권 계좌 개설수(건)	증가율
2017	205,958	32%
2018	255,040	24%
2019	188,646	-26%
2020	393,659	109%
2021	1,534,884	290%
2022	2,581,909	68%

(출처: 베트남 증권예탁센터 통계, 베트남 언론 보도 취합 재인용)

베트남 증시에서도 2022년 최고치 주가 지수, 최대 신규 증권 계좌 개설 수 갱신, 증권사 매출과 영업 이익 최고치 기록 등을 끌어낸 초보 투자자들이 있다. 이들을 'F0(F+숫자 0)'라 부른다. 베트남에서는 코로나 최초 확진자를 생물학 용어를 사용해서 F0라고 지칭한다. 1차 접촉자를 F1, 2차 접촉자를 F2라 분류해 인터넷과 온라인 메신저를 통해 이들의 동선을 전 국민에게 통보하고 방역을 하고 있다. F0는 베트남인들에게는 '첫 시작한 사람'이라는 의미에서 최근 유행하는 단어이다.

2022년은 베트남 증시 사상 최고 호황을 기록했다

베트남에서 주식 계좌를 개설하려면 증권사와 연계된 은행에서만 가능하고 작성해야 하는 신청 서류도 4~5가지나 되어서 복잡하고 시간이 걸리는데도 젊은 베트남인 투자자들이 몰려들고 있다. 베트남 언론 보도에 따르면 2021년 3월 한 달 신규 거래 계좌 수가 11만 3,191개로 월 기준 역사상 최고치를 기록하며 뜨거운 베트남 증시를 세상에 알리기 시작했다. 이 기록은 거의 매달 갱신되었고 2022년 5월 47만 6,711개의 신규 증권 계좌가 개설되면서 베트남 증시 역사상 월 기준 증권 계좌 개설 수 최고 기록을 수립했다. 베트남 주식 시장 총액은 2007년 우리 돈으로 20조 원 규모였지만 2022년에는 베트남 증시 사상 최고치 기준 300조 원까지 초고속 성장했다. 베트남 국내총생산과 비교해도 2020년 베트남 국가 국내총생산의 87퍼센트, 2021년에는 93퍼센트에 도달했다. 베트남 1위 증권사인 사이공증권은 2021년 7조 7,860억 동(4,380억 원) 매출을 기록해 전년 대비 72퍼센트 성장했고 세후 이익은 3조 3,650억 동(1,800억 원)으로 116퍼센트 늘었다. 그 외 VN다이렉트증권은 매출이 3배 늘어난 6조 390억 동(3,300억 원)에 세후 이익 2조 3,830억 동(1,300억 원)이었다. 비엣캐피털증권은 2배 늘어난 매출 3조 7,330억 동(2,064억 원)에 세후 이익 1조 8,510억 동(1,000억 원)을 달성해 업계가 돈 잔치를 벌였다.

베트남 증시는 모건스탠리 캐피털 인터내셔널MSCI 지수에서 '프런티어 마켓'에 속해 있다. 2020년 12월 쿠웨이트가 '이머징 마켓'으로 승격 확정되면서 프런티어 마켓에서 베트남의 비중이 기존 17.5퍼센트에서 25.2퍼센트로 늘어나게 되었다. 베트남 증시가 상승하게 된 호재가 발생한 것이다. 베트남 정부는 이 기세를 몰아 베트남 증시도 '이머징 마켓'으로 승급되게 하려고 외국인 투자자들의 편의를 배려한 다양한 법 개정을 진행하고 있다.

경제 성장·금리 인하 등의 영향이 증시를 이끌었다

베트남 증시가 급격히 상승한 데는 여러 가지 요인이 있다. 무엇보다 성공적인 코로나19 방역에 따른 경제 성장이다. 베트남은 코로나 팬데믹 상황에서도 2020년 2.91퍼센트 성장하며 1인당 국내 총생산 3,586달러를 기록해 전 세계에서 몇 안 되는 플러스 성장 국가가 되었다. 베트남 국민들 스스로가 국가 경제 성장에 대한 강한 확신에 투자하는 것이다. 또 다른 요인으로는 급격한 금리 인하이다. 코로나 팬데믹 충격으로 경기 부양을 위해 베트남 중앙은행이 4차례에 걸쳐 기존 5퍼센트였던 금리를 4퍼센트로 대폭 내렸기 때문이다. 주로 외국인들을 대상으로 하던 부동산 임대업이 어려움을 겪는 데다 낮아진 예금 금리 대신 20~30퍼센트 이익을 거두는 주식 시장에 학생, 주부부터 공장 노동자, 사무직원까지 모두 뛰어들고 있다.

어려워진 경제 상황이 역설적으로 베트남 증시를 활황으로 만든 것도 또 다른 이유이다. 베트남 통계청에 따르면 코로나 팬데믹 충격으로 2020년 10만 1,700개의 사업장이 폐쇄 또는 휴업했다. 직장을 잃어 소득을 벌기 위한 경우부터 보유한 부동산 가치 하락으로 인해 대안 투자처로 주식 시장에 관심을 가진 경우나 새로운 사업을 진행할 수 없어 투자금으로 주식을 시작하는 경우가 대부분이라는 것이다.

다른 한편에서는 베트남 주린이 F0 탄생을 베트남의 개혁개방 정책이었던 '도이머이(쇄신이라는 뜻)'에서 찾기도 한다. 도이머이 정책으로 개혁개방이 시작된 1986년 자유시장체제를 도입해 민간 기업들이 생기기 시작했고 35년이 지난 지금 해당 사업체를 설립한 부모 세대들이 이제 30~40대가 된 자녀들에게 사업권을 물려주면서 자본력을 갖춘 젊은 투자자들의 공격적인 증시 참여가 가능했다는 것이다. 개혁개방 시대에 자란 1980년대생들은 인터넷과 스마트폰 사용이 당연해 앱을 다운로드하여 손쉽게 주식 거래를 하게 된 것도 베트남 증시 성장의 한 원인이라 보는 시각도 있다.

하지만 베트남 증시가 더욱 성장하기에는 부족한 것들도 많다. 2022년 기준 베트남 증시 시가 총액은 2,200억 달러로 한국 증시의 10퍼센트 수준이며 아세안 주요 6개국 중에서도 가장 작아 외국 자본의 대량 매도에 쉽게 흔들릴 수 있다. 최근 폭발적으로 늘어난 주식 거래로 서버가 견디질 못해 여러 차례 매매가 중단되기도 했다. 한국에서 베트남 증시에 직접적으로 뛰어든 한국인 투자자들이 지속적으로 늘고 있는데 베트남 기업에 대한 과장되고 제한적인 정보들이 넘쳐나고 있다. 한국에서 막연하게 알고 있는 기업 이미지는 실상과 아주 다르다. 일례로 2019년 세계 3대 신용평가 회사인 피치는 베트남 시총 1위 기업이자 베트남의 삼성이라 불리는 빈 그룹에 대해 기업 평가를 거부하겠다고 선언했다. 그런데 한국에서 이 사실을 아는 사람들은 그리 많지 않다. 베트남 기업 중에는 성장 가능성이 크고 베트남 현지 시장에서 높은 점유율을 확보하며 영업 이익을 내고 있는 우수한 기업들도 있지만 구체적인 계획 없이 말뿐인 사업계획 공시도 많다.

베트남은 직접 투자보다는 펀드나 ETF가 대안이다

베트남 경제가 빠르게 성장하면서 베트남 증시에 직접적으로 투자하고자 하는 개인 투자자들이 많다. 하지만 아직 개인이 한국에서 베트남에 직접 투자하기에는 어려움이 많다. 베트남 은행에 계좌가 있어야 한다. 과거에는 관광 목적으로 방문한 사람이라도 계좌를 개설할 수 있었지만 지금은 그럴 수가 없다. 6개월 이상 베트남 거주 가능 비자가 있어야 하며 입금 시에는 자금 출처를 증빙해야 하고 하루에 최대 1억 동(약 500만 원), 한 달에 최대 2억 동(약 1,000만 원)까지만 입금이 가능하다.

　베트남 증시에 직접 투자하려면 이래저래 복잡한 것이 많다. 이런 어려움과 번거로운 작업을 뚫고 계좌를 개설했다고 해도 베트남 종목에는 외국인이 매수할 수 있는 한도가 있으며 이미 인기 있는 종목은 한도가 차서 사고 싶은 종목은 쉽사리 매수하기도 어렵다. 이럴 바에는 한국 금융사들이 만든 베트남 펀드나 ETF를 통해 베트남 증시에 간접적으로 투자하는 것이 유용해 보인다. 마지막으로 투자 관련해서는 진부하고 평이한 표현이지만 투자자들의 세심한 주의가 필요하다.

3

왜 보험업계의 폭발 성장이 기대되는가

VIETNAM

베트남 보험 시장이 2009년 이래 해마다 20퍼센트 이상 고성장하며 전 세계 보험업계의 관심을 독차지하고 있다. 베트남 재무부에 따르면 생명보험과 손해보험을 합쳐서 총 납부된 보험료가 2011년 36조 5,520억 동(1조 8,280억 원)에서 2020년 184조 6,620억 동(9조 2,331억 원)으로 405퍼센트 성장했다.

베트남보험협회에 따르면 베트남 전체 인구의 12퍼센트가량만 보험에 가입해 아직도 7,000만 명 이상이 가입할 여력이 있어 시장은 폭발적으로 성장할 가능성이 무궁무진하다. 베트남은 코로나 팬데믹에도 불구하고 2021년 2.56퍼센트, 2022년 8.02퍼센트 성장하며 전 세계에서 드물게 성장했다. 코로나19 이전에는 연평균 6~7퍼센트로 안정적인 성장을 하며 보험 가입 가능성이 높은 중산층이 해마다 200만 명 이상 형성되고 있어 베트남 보험 시장 전망은 매우 긍정적이다.

인구 고령화와 생산가능인구 감소로 보험 산업 자체가 위기에 몰

베트남의 생명보험과 손해보험 수입 보험료

구분	2015년	2019년	2020년	2020년 비중
손해보험	32조 1,420억 동	52조 8,420억 동	57조 1,020억 동	31%
생명보험	38조 1,100억 동	106조 9,9110억 동	127조 5,600억 동	69%
합계	**70조 2,520억 동**	**159조 7,610억 동**	**184조 6,620억 동**	**100%**

(출처: 베트남 재무부)

린 선진국과 달리 베트남은 유엔UN에서 발표한 중위 연령 32.5세의 젊은 나라로 신규 보험 가입 후보자들이 넘쳐난다. 중국 38.4세, 한국 45.0세, 일본 48.3세 등 다른 아시아 국가들과 비교해도 확연히 베트남이 젊은 나라임을 알 수 있다. 베트남은 젊은 인구에다 1억 명의 세계 15위 인구 대국이라 보험업계 입장에서는 노다지가 가득한 금광이나 다를 바가 없다.

2020년 기준 베트남 생명보험과 손해보험 규모 비중은 대략 7:3으로 보장성 보험보다는 저축성 보험이 주를 이룬다. 이는 원금 보장성 보험 가입을 통해 저축을 대신하려는 경향이 강해서이다. 또한 베트남 사람들의 기저에는 가족의 죽음으로 돈을 받는 것에 대한 거부감이 강해 보장성 보험 가입이 낮은 이유도 있다. 다만 최근에는 기성세대와 달리 인식이 달라진 젊은 중산층을 중심으로 보장성 보험 가입률이 늘고 있는 추세이다.

베트남 보험시장에 부는 변화의 바람

2016년까지만 하더라도 베트남에서 보험 가입은 전통적인 보험설계사들을 통한 대면 접촉으로 상품에 가입하는 건수가 전체 보험

베트남 주요 생명보험사

가입 건수의 93퍼센트였다. 보험설계사가 본업인 사람 못지않게 의사, 교사, 공장 작업반장, 화장품 방문 판매사원 등 다양한 직업 군에서 투잡으로 보험설계사 일을 하고 있다. 이는 베트남이 가족이나 친구처럼 신뢰할 수 있는 사람, 믿을 수 있는 사람이 추천하는 사람을 통해 물건을 구매하는 것이 보편적인 곳이기 때문이다. 그러나 기업체에서 중간관리자이거나 해외 유학 경험이 있는 30~40 대 전문직을 중심으로 전문 설계사를 통해 재무 상담을 받으며 보험을 가입하는 비율이 늘고 있다. 외국계 생명보험사 중심으로는 은행을 통해 보험을 판매하는 방카슈랑스가 급격히 늘고 있다. 손익도 좋고 젊은 가입자들이 많아 시장은 환호하고 있다.

생명보험보다 규모는 작지만 손해보험에서 고성장을 하는 분야가 자동차 보험이다. 자동차 보험 가입은 의무이다 보니 자동차 판매와 자동차 보험 신규 가입이 직결되어 있다. 해마다 두 자릿수 성장을 하는 베트남 내수 자동차 시장은 과거에는 택시, 기업용 렌터카, 트럭과 같은 상업용 차량 구매가 주를 이루었다면 이제는 중산층이 늘어나면서 개인 차량 판매량이 급격히 늘고 있다. 2018년까

2021년 베트남 생명보험사와 손해보험사 시장 점유율

순위	생명보험사	점유율(%)	순위	손해보험사	점유율(%)
1	바오비엣	22.0	1	바오비엣	16.9
2	푸르덴셜	19.0	2	석유가스공사 보험	13.7
3	메뉴라이프	14.0	3	우체국 보험(DB화재 참여)	10.9
4	다이이치	12.0	4	바오민	7.0
5	에이아이	11.0	5	석유공사보험(삼성화재 참여)	6.3
6	한화	3.0	6	기타	45.2
톱 6 점유율		**78.0**	**톱 6 점유율**		**54.8**

메뉴라이프의 아비바 베트남 인수로 두 회사 합산 시 18.8%
(출처: 베트남 재무부 2020년 자료 기준)

지 고가의 수입 완성차는 연평균 7만 5,000여 대가 판매되었는데 2019년 13만여 대로 판매량이 대폭 늘었다. 코로나 팬데믹 여파로 2020년과 2021년에는 줄어들었지만 2021년에는 다시 판매량 13만여 대를 회복했다. 2022년에는 6,000여 대가 판매되어 중산층 증가가 자동차 내수 판매 산업과 자동차 보험 산업을 덩달아 키우고 있다. 베트남 정부가 하노이, 호찌민의 대기오염 개선을 위해서라도 전기자동차 지원에 대해 검토할 것이라는 전망이 나오면서 자동차 보험 시장은 더욱 커질 것으로 보인다.

이렇듯 황금알을 낳는 보험 시장이다 보니 업계 간 경쟁이 치열하다. 18개 회사가 활동 중인 생명보험업계는 상위 5개 업체가 전체 시장의 80퍼센트를 차지하고 있어 중하위 업체들의 진입이 쉽지 않아 보인다. 상위 업체들도 최근에서야 흑자 전환을 했지만 누적 기준으로는 대부분 적자이다. 하지만 매력적인 향후 시장을 생각하고 계속해서 투자를 이어가고 있다. 반면 31개 회사가 활동 중

한화생명 E스포츠 글로벌 챌린지 포스터

(출처: 베트남 한화생명)

인 손해보험업계는 2015년 상위 5개 업체가 63퍼센트를 차지하고 있었는데 2020년에는 54.8퍼센트로 하위 업체들과의 간극이 줄어들고 있다.

한국 보험사들이 공격적으로 뛰어들고 있다

한국 보험사 중에는 한화생명이 가장 발 빠르고 적극적으로 베트남 시장에 뛰어들었다. 2009년 베트남에 현지 법인을 설립해 공격적인 영업을 통해 2016년 흑자 전환에 성공했고 2020년에는 2019년 대비 20퍼센트 성장하며 수입보험료 1,714억 원을 달성해 전체 18개 생명보험사 중 7위가 되었다. 2018년에는 호찌민에서 리그오브레전드 게임 대회를 개최하고 한화생명 E스포츠단을 통해 잠재 고객인 젊은층에게 브랜드를 알리고 있다.

미래에셋생명은 2017년 프랑스 생명보험사 프레보아 베트남 법인의 지분을 50퍼센트 인수해 공동 운영 중인데 2020년 업계 10위에 등극했다. 삼성생명은 몇 년 전부터 베트남 재무부가 최대 주주이자 1위 생명보험사인 바오비엣 지분 인수 추진을 위해 베트남 정부와 협의 중이다. 하지만 최근 바오비엣의 지분을 17.5퍼센트에서 22.09퍼센트로 늘린 일본의 스미토모생명이 삼성생명을 반갑게 맞아줄 리는 만무해 보인다. 신한생명은 2020년 베트남 재무부에 법인 인가 신청을 내고 2023년부터 영업을 할 수 있을 것으로 기대하고 있다. 베트남 외국계 은행 1위이자 베트남 전국에 47개 은행 점포를 가진 신한은행을 통해 방카슈랑스에 집중하면 단숨에 중위권까지 올라설 수 있을 것으로 보인다.

손해보험업계에서는 DB손해보험이 2015년 베트남 우체국보험 **PTI** 지분을 37.32퍼센트 인수해 자동차 보험에서는 1위, 전체 손해보험업계에서는 3위를 차지하고 있다. 삼성화재는 2017년 베트남 석유공사 손해보험사인 피지코**PJICO** 지분 20퍼센트를 인수해 손해보험업계 5위를 달리고 있다. 현대해상은 베트남 국영은행인 비엣틴뱅크의 보험사이자 13위 손해보험사인 비엣틴뱅크 보험회사의 25퍼센트 지분을 취득했다. KB손해보험은 2위 손해보험사인 바오민**Bao Minh**의 지분 취득을 위해 협의 중이라고 밝혔다. 어지간한 한국 보험사 대부분은 베트남에서 사업을 진행하고 있다.

시간을 갖고 충분히 조사하고 협상에 임해야 한다

한국의 대표적인 기업들이 전문 인력을 통해 충분한 시간을 가지고 해외 사업에 뛰어들 것 같지만 의외로 최고경영진의 성급하고 충동적인 판단으로 허겁지겁 베트남 사업을 하는 경우도 많다. 베트남에서 금융업으로 사업 인가를 받는 것은 매우 어렵다. 외국 자본의 무분별한 진입을 막기 위해 베트남 정부 입장에서는 어쩔 수 없는 조치이다. 하지만 성격 급한 한국 기업들은 언제 사업 인가를 받을지 몰라 마냥 기다릴 수만은 없어 베트남 현지 업체 지분을 인수해서 사업을 시작한다. 이 방식은 시간은 절약할 수 있으나 막상 인수하고 나서 회사 실정을 살펴보면 장부와 달라 고생하는 경우가 대부분이다. 전략적 지분 투자라고는 하지만 실질적인 권한 없이 베트남 사업에 진출했다는 타이틀을 거머쥐기 위해 투자한 경우에는 이렇다 할 성과 없이 자본금만 까먹는 경우가 허다하다.

협상 테이블에서 급한 쪽이 손해 보는 것은 비즈니스 세계에서 만고불변의 진리 아니겠는가.

4

왜 차세대 재생에너지 선진국으로 기대되는가

VIETNAM

2022년 G20 발리 정상회담에서 유럽연합 국가들과 미국이 주도하고 아세안 국가들이 적극 호응하는 기후 위기 대응을 위한 '탄소중립 정책'과 '지구 온도 상승폭 1.5도 제한 목표 달성'에 대한 협의가 있었다. 탄소중립 의제는 앞서 8월에 발리에서 열린 'G20 환경 기후 장관회의' 11월 이집트에서 열린 '유엔 기후변화 협약 당사국 총회COP27' 등 여러 국제회의의 연장선상에서 이루어진 아주 중요한 이슈이다. 특히 유럽으로 수출하는 제조 공장이 집중된 중국과 아세안 국가들은 유럽연합에서 시행하는 '탄소국경조정제도CBAM'에 대응하지 못하면 수출이 어려워지기 때문에 전 세계 경제계에서는 초미의 관심사이다.

유럽연합과 미국이 '공정 에너지 전환'을 지원하고 있다

기후변화 문제를 적극적으로 주도하고 있는 유럽연합은 2026년부터 수입되는 품목 중 제조 운반 과정에서 탄소 배출을 많이 하는

태양광 풍력 복합 발전소

베트남 남부 닌 투언 성

제품에 대해서는 단계적으로 탄소 배출 세금을 부과하고 2034년에는 이 제도를 완전히 정착시키기로 했다. 그래서 짧은 시간에 탈탄소를 하기 위해서는 경제적으로 기술적으로 여력이 없는 아세안 국가들이 기한 내에 탄소중립화를 이룰 수 있도록 유럽연합과 미국이 적극 지원하고 있다.

이번 G20 발리 정상회담에서는 이와 관련한 중요한 행사가 있었다. G20 발리 정상회담 기간 중 유럽연합과 영국, 노르웨이, 캐나다는 인도네시아를 '공정에너지 전환 이행 파트너십JETP' 두 번째 국가로 선정하고 3~5년간 200억 달러(26조 원)를 지원하기로 했다. 공정에너지 전환 이행 파트너십은 석탄 수출 세계 2위 국가이자 세계 10대 온실가스 배출국인 인도네시아가 석탄 발전 위주에서 친환경적이고 환경오염이 적은 재생에너지로 전환할 수 있게 지원하는 프로그램이다. 게다가 단계적으로 석탄 사용량을 줄이는 정책으로 일자리를 잃게 되는 광부와 그 가족인 여성과 청소년의 안정적

베트남은 2050년까지 탄소 순배출 제로 달성을 선언했다.

인 생활, 교육, 새로운 일자리 창출까지 지원한다.

　인도네시아에 이어 세 번째로 공정에너지 전환 이행 파트너십을 체결한 국가는 베트남이다. 2022년 12월 14일 베트남은 유럽연합, 미국, 영국, 일본, 덴마크, 노르웨이 등과 공정에너지 전환 이행 파트너십을 맺고 155억 달러(20조 원)를 지원받게 되었다. 베트남은 신규 석탄 화력 발전 프로젝트를 중단하고 2050년까지 탄소 순배출 제로 달성을 선언했다. 단계별 목표로 2030년에는 2020년 대비 탄소 배출량을 30퍼센트 줄일 수 있다고 자신했다. 이는 애초 목표치인 2035년보다 5년이나 앞당긴 것이다. 베트남이 이처럼 자신 있게 목표치를 5년이나 앞당길 수 있는 이유는 지난 20년 동안 태양광, 풍력과 같은 재생에너지 발전 비율을 빠르게 높였기 때문이다.

태양광 발전 용량

(용량 단위: 메가와트)

순위	국가	설치 발전 용량	전 세계 비중
1	중국	254,355	35.6%
2	미국	75,572	10.6%
3	일본	67,000	9.4%
4	독일	21,600	3.0%
5	인도	39,211	5.5%
6	이탈리아	21,600	3.0%
7	호주	17,627	2.5%
8	**베트남**	**16,504**	**2.3%**
9	한국	14,575	2.0%
10	스페인	14,089	2.0%
	기타	171,837	24.1%
합계		**713,970**	**100%**

(출처: 국제재생에너지기구)

베트남은 '세계 8위'의 태양광 발전 용량 국가이다

국제재생에너지기구IRENA에 따르면 베트남은 태양광 발전 설비 용량 기준 세계 8위의 국가로 한국보다 한 단계 앞선 재생에너지 선도국가이다. 국제재생에너지기구는 「2021 베트남이 아시아 차세대 녹색 에너지 강국인 이유」라는 보고서에서 '베트남은 국가 차원에서 녹색에너지로의 전환이 시급함을 절대적으로 인식하고 있다'면서 '2021년 기준 1만 6,500메가와트의 태양광 발전 설치 용량을 보유한 동남아시아 최대 태양광 발전 국가'라고 극찬하고 있다. 우리나라의 신고리원전 1기가 생산하는 발전용량이 1,000메가와트이니 베트남은 태양광만으로 16.5기의 원전 발전용량을 보유하고 있는 것이다. 베트남은 2025년까지 1만 7,200메가와트까지 발전용량을

바이오매스

베트남의 또 다른 잠재력 넘치는 재생에너지 분야는 생물연료인 바이오매스이다. 톱밥, 쌀겨 같은 농업 폐기물이 석탄을 대신해 화력 발전 원료가 될 수 있다.

늘리는 것을 목표로 잡았다. 민간 기업들의 투자가 급격히 늘고 있어 실제로는 2만 5,000메가와트 이상 발전용량을 확보할 것으로 보인다.

베트남은 세계에서 손에 꼽히는 풍력 발전 잠재력이 많은 나라이기도 하다. 해안선이 3,200킬로미터로 길고 풍속도 강한 편인데 특히 남부 해안 지역은 평균 풍속이 초속 7~11미터나 된다. 국제재생에너지기구는 베트남 풍력 발전 잠재력 면적은 2,700제곱킬로미터이며 발전용량은 31만 1,000메가와트 규모로 머지않아 동남아시아 최고의 재생에너지 국가가 될 것으로 전망했다. 2021년 풍력 발전용량은 600메가와트에 그치지만 많은 민간 기업과 각 지방성에서 고산 지대와 해상에 풍력 발전을 설치하고 있어 2025년까지 1만 2,000메가와트, 2030년까지는 1만 8,000메가와트 발전용량을 대폭 확보할 것으로 보인다.

베트남의 또 다른 잠재력 넘치는 재생에너지 분야는 생물연료인 바이오매스이다. 톱밥, 쌀겨 같은 농업 폐기물이 석탄을 대신해 화력 발전 원료가 될 수 있다. 이 바이오매스 원료들은 오염물질을 거의 만들지 않는다. 게다가 자연에서 분해할 때 발생하는 이산화탄소 양이 불에 태울 때와 차이가 없다. 무엇보다 이 생물연료들은 자라면서 광합성을 하기 때문에 이산화탄소를 흡수하고 산소를 배출하는데다 자연환경에서 무한으로 생산할 수 있는 큰 매력이 있다. 베트남은 쌀과 커피, 설탕이 각각 세계 2위, 4위의 수출국이자 최근 바이오매스 원료로 각광받는 코코넛의 세계적인 산지이다. 각 품목들의 가공 과정 중에서 발생하는 무수히 많은 쌀겨, 사탕수수, 커피 껍질, 코코넛 껍질 등의 농업 폐기물은 석탄 대신 사용할 수 있는 바이오매스 에너지의 자원이 된다.

국운을 걸고 재생에너지 발전 비율을 높이고 있다

하지만 아직 베트남이 가야 할 길은 멀다. 민간 기업을 통해 태양광과 풍력 발전 시설 설치가 급격히 이루어졌지만 이를 전기로 사용할 수 있는 송전망의 노후화와 용량 부족으로 원활한 전력 배급에 걸림돌이 되고 있다. 베트남 정부에 따르면 재생에너지 발전 설비는 전체 전력 설비 용량의 28퍼센트를 차지하고 있지만 실제 전력 생산은 송전로 미비로 8퍼센트 수준에 불과하다. 이에 베트남 국회는 국가 송전망에 대해 민간 기업의 투자를 허용하는 전력법을 개정 통과시켰지만 구체적인 시행 규칙이 마련되지 않아 어려움을 겪고 있다.

글로벌 생산기지로서 중국을 대체할 베트남과 인도네시아는 정부가 국운을 걸고 재생에너지 발전 비율을 높이기 위해 노력하고 있다. 한국은 이들에게 뒤처지고 있는 것은 아닌지 모르겠다.

5

어떻게 아세안 최강 무역 강국이 되었는가

VIETNAM

베트남은 전 세계 경제 위기 속에서도 최근 12년 동안 가장 높은 경제 성장 수치를 기록하며 주목받는 시장임을 다시 한번 입증했다.

2022년 경제 성장률은 가장 높은 8.02퍼센트이다

2022년 12월 29일 베트남 통계청은 2022년 베트남 국내총생산을 발표하면서 국제통화기금 전망치 6퍼센트, 아시아개발은행 6.5퍼센트, 세계은행 7.5퍼센트보다도 높은 8.02퍼센트의 경제 성장률을 기록했다고 공식 발표했다. 이는 연초 베트남 정부의 목표치인 6.0퍼센트보다 2.02퍼센트나 초과 달성한 것이다. 1인당 국내총생산은 2021년보다 393달러 증가한 4,110달러이며 1인당 노동 생산성은 전년 대비 622달러 증가한 8,083달러가 되었다.

이와 아울러 베트남 일반 소비자물가는 3.15퍼센트, 평균 근원 물가는 2.59퍼센트 상승해 안정적인 물가 관리에도 성공했다. 전 세계적으로 높은 인플레이션을 잡기 위해 고강도 긴축으로 경제가 침체

2022년 베트남 주요 경제 지표

국내총생산 성장률	1인당 국내총생산	1인당 노동생산성	일반 소비자물가	근원 소비자물가
8.02%	4,110달러	8,083달러	3.15%	2.59%

(출처: 베트남 통계청)

되고 있는 상황 속에서 베트남은 경제 성장과 물가 안정이라는 두 마리 토끼를 잡았다.

자동차 생산·수입 60만 대를 첫 돌파했다

2022년 베트남 국가 통계 중 눈여겨볼 것은 국내에서 생산된 자동차와 수입 차량의 증가이다. 베트남 통계청은 2022년 자국 내에서 생산된 차량은 43만 9,600대로 전년 대비 14.9퍼센트 증가했으며 완성차 수입은 17만 6,590대로 10.5퍼센트 증가, 수입액은 38억 7,000만 달러로 6.8퍼센트 증가했다고 발표했다. 생산과 수입 합산 자동차 대수가 60만 대를 돌파한 것은 베트남 사상 처음이다. 이에 베트남 자동차 제조업협회VAMA는 2022년 1~11월까지 회원사들이 전년 동기 대비 43퍼센트 증가한 36만 9,334대를 판매했다고 발표했다. 여기에 베트남 자동차 제조업협회 회원이 아닌 수입 자동차 회사들의 17만여 대의 수입분까지 계산하면 2022년 한 해 55만여 대의 자동차가 베트남에서 판매된 것으로 추산된다. 등록된 오토바이만 4,500만 대가 넘는 오토바이 왕국 베트남에서 중산층이 급격히 성장하면서 자동차 소비가 덩달아 성장하고 있는 것이다. 베트남 경제가 발전하고 일반 국민들의 소득이 증가하고 있음을 여실히 보여주는 지표이다.

베트남 무역 성장세

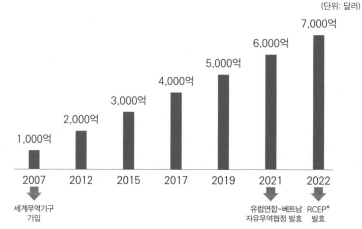

(단위: 달러)

7,000억

6,000억

5,000억

4,000억

3,000억

2,000억

1,000억

| 2007 | 2012 | 2015 | 2017 | 2019 | 2021 | 2022 |

세계무역기구
가입

유럽연합-베트남
자유무역협정 발효

RCEP*
발효

*역내포괄적경제동반자협정
(출처: 베트남 관세청)

15년 만에 무역 규모가 7배 성장했다

베트남은 무역에서도 사상 최대 성과를 이루었다. 베트남 통상산업부는 2022년 베트남 수출입액이 사상 처음으로 7,000억 달러를 돌파했다고 발표했다. 2007년 1월 베트남이 세계무역기구**WTO**에 가입하면서 수출입액 1,000억 달러를 달성한 이래 15년 만에 무역 규모가 7배 성장한 7,200억 달러를 달성한 것이다. 2022년 베트남 수출액은 10.5퍼센트 증가한 3,710억 달러로 92억 달러 무역 흑자를 기록했다. 전 세계적으로 석유 가격이 급격히 인상되고 베트남의 주요 수출품인 의류, 신발이 미국 경제 침체로 주문이 잇따라 취소되면서 위기감이 형성되었다. 일부에서 베트남 경제에 대한 부정적인 전망이 나오기도 했지만 베트남은 이를 극복해냈다. 2021년 기준 베트남은 수출로는 세계 20위, 수입은 23위로 아세안에서는 싱가포르에 이은 2위 무역 대국이다. 아직 아세안 각 국가의 무역 규모가 공식적으로 발표되지 않았지만 업계에서는 베트남의 무역 규모 순위는 더욱 상승할 것으로 예측했다.

이에 따라 글로벌 신용평가사들의 베트남 국가 신용등급도 조만간 상향될 것으로 보인다. 2022년 5월 스탠더드앤드푸어스S&P는 'BB+ (안정적)'로 상향 조정했는데 당시 베트남 국내총생산 성장률을 실제보다 낮은 6.9퍼센트로 예측하고 내린 평가였다. 또 다른 신용평가사 무디스는 9월 베트남 국가 신용등급을 'Ba2 (긍정적)'로 상향 조정했다. 여러 근거 중 베트남이 세계 최대 자유무역협정 다자간 무역협정국이라는 점과 이 때문에 중국에서 많은 생산기지가 이전해 온다는 것을 긍정적으로 평가했다. 노동집약 산업의 생산기지들뿐만 아니라 고부가 가치의 하이테크 산업들이 베트남으로 이전해 오고 있어 전망은 더욱 밝다.

미중 갈등을 피해 베트남으로 생산기지를 이전한 아이폰 공급업체들은 폭스콘, 럭스셰어, 고어텍 등 모두 21개다. 그들이 고용한 베트남 노동자만 20만여 명이다. 애플의 아이팟을 베트남에서 생산 중인 폭스콘은 2023년 5월부터는 '메이드 인 베트남' 맥북을 생산할 예정이다. 이를 위해 폭스콘은 베트남 북부 박장성에 3억 달러를 추가 투자해 50만 5,000제곱미터 규모의 용지를 임대하고 3만 명의 인원을 추가 고용할 예정이다. 폭스콘과 함께 아이폰 생산을 많이 하는 페가트론Pegatron은 LG전자 그룹 계열사들이 자리잡은 하이퐁에 최대 10억 달러를 투자하고 공장을 설립하고 있다. 업계에서는 1~2년 내 조립 형태로 베트남에서도 아이폰을 생산하기 시작할 것으로 보고 있다.

2030년까지 제조업의 45퍼센트를 하이테크로 전환한다

베트남 정부는 2030년까지 베트남 전체 제조 비중의 45퍼센트를 하이테크 산업으로 전환하려고 한다. 저임금 노동력 중심 산업국가로 머무르면 중진국에서 더 이상 발전할 수 없음을 명확히 알고 있는 베트남은 '2021~2030년 국가 투자·협력 전략'을 세우고 글로벌 500대 기업 중 절반 이상을 유치하는 것을 목표로 하고 있다. 빠른 기술 이전과 국가 성장을 위해 외국 기업을 유치하는 것도 중요하지만 맹목적인 해외 기업 유치가 능사는 아니다. 베트남 정부가 첨단 산업 육성에만 집중하다 보면 봉제나 신발과 같은 노동집약 산업 노동자들을 외면할 수 있다. 그간 베트남 경제 성장의 한 축이었던 산업 노동자들이 급작스러운 산업구조 개편으로 직장을 잃게 될 것을 대비해서 재취업 교육을 강화하고 지원해야 한다. 또한 베트남 통계청이 언급했듯 2022년 사상 최대 수출 실적의 74퍼센트는 외국 투자 기업들에서 나왔다는 점을 간과해서는 안 된다. 내수 기업들도 함께 성장할 수 있도록 인재 양성, 세제혜택, 대출금리를 지원하는 것도 필수이다.

6

인구 1억 명과 도시화로 성장 여력이 많다

인구 평균 연령 32.5세, 유엔이 극찬하는 생산가능인구가 70퍼센트 달하는 인구 황금구조의 나라 베트남이 2023년 공식적으로 인구 1억 명을 돌파할 것으로 보인다. 베트남 보건부 산하 인구가족계획국은 '해마다 100만 명의 신생아가 태어나는 베트남 상황에 비추어 2023년 중순경 인구 1억 명을 돌파할 것'이라고 발표했다. 2023년 2월 14일 기준 유엔 통계에 따르면 베트남 인구는 9,962만 명으로 규모로는 전 세계 15위이며 아세안에서는 인도네시아(2억 7,750만 명), 필리핀(1억 1,730만 명)에 이어 3위이다. 베트남 정부는 2035년까지 1인당 국민소득 1만 달러 달성을 목표로 하고 있다.

2023년 기준 전 세계에서 '인구 1억 명이 넘으면서' '1인당 국민소득이 1만 달러가 넘는 나라'는 미국, 일본, 러시아, 중국, 멕시코 5개국뿐이다. 브라질이 조만간 그 대열에 합류하고 베트남이 그다음 후보가 될 것으로 보인다. 풍부한 인구를 바탕으로 빠르게 성장하는 베트남에 대해 영국의 싱크탱크인 경제경영연구센터CEBR는

베트남 인구

베트남은 2023년 중순경 인구 1억 명을 돌파할 것이다.

2035년에는 '아시아의 네 마리 용'이라 불리던 대만(21위)과 '아세안 최대 경제 국가'인 태국(29위)을 물리치고 베트남이 세계 19위의 경제 국가가 될 것으로 예측했다.

　물론 많은 인구가 꼭 국가 경제 성장을 보장하지는 않는다. 인구 1억 명이 넘는 파키스탄, 나이지리아, 방글라데시, 이집트, 필리핀 등은 그 풍부한 인구 덕분에 폭발적으로 성장할 것으로 평가받는다. 그 덕분에 이들 나라는 해마다 경제 성장 가능성이 큰 나라로 뽑히지만 아주 오래전부터 여전히 '언젠가는 성장할 나라' 후보 신세이다. 반면 풍성한 인구와 그에 걸맞은 도시 인프라가 개발된다면 이로 인해 형성된 탄탄한 내수 시장은 국가 경제 발전의 주요 원동력이 된다.

국가 성장 원동력은 '도시화'이다

2018년 '내생적 성장 이론Endogenous Growth Theory'으로 노벨경제학상을 받은 미국 뉴욕대학교 폴 로머Paul M. Romer 교수는 개발도상국이 선진국을 따라잡을 방법은 '도시화'라고 단언했다. 폴 로머 교수는 한국과 중국을 포함한 아시아 경제가 서구 선진국들을 빠르게 추격할 수 있는 원동력이 바로 이 '도시화' 때문이라고 강조했다. 또한 현대 경제에서 경제적 가치를 가장 많이 만들어내는 공간은 도시이며 국가 경제가 성장하기 위해서는 효율적인 도시 개발이 필수적이라고 했다. 베트남 정부가 폴 로머 교수의 내생적 성장이론을 수용했는지는 확인되지 않지만 요즘 베트남은 도시화율을 경제 성장의 원동력으로 삼고 도시 개발에 집중하고 있다.

베트남의 도시화율은 2000년 24.4퍼센트, 2011년 31.1퍼센트에서 2022년 41.7퍼센트로 처음으로 40퍼센트 대에 진입했다. 하지만 베트남의 도시화율은 아세안 10개국 중 7위로 빠르게 발전하는 국가 경제 규모에 비해 아직도 저조하다. 폴 로머 교수의 '급속한 도시화가 경제적 효율성과 빠른 경제 성장을 가져온다'는 이론에 따르는 듯 베트남은 도시화율에 더욱 박차를 가하고 있다. 베트남 정부는 도시화율을 2025년까지 45퍼센트, 2030년까지 50퍼센트 달성하는 것을 목표로 내걸었다.

일반적으로 도시화가 이루어지면 전국에서 인구가 몰려들어 우수한 노동력이 공급되고 기업들이 동종 업종을 중심으로 서로 인근 지역에 몰려들어 생산비용을 줄이는 효과를 만들어낸다. 반면 도시화는 땅값 상승과 주택 공급 부족, 교통체증과 대기오염, 수질오염 등 부작용을 동반한다. 또한 밀집된 인구에 부합하는 인프라가 건

아세안 국가별 도시화율과 포장도로 비율 순위

순위	국가명	도시화율(%)	순위	국가명	포장도로 비율(%)
1	싱가포르	100.0	1	싱가포르	100.0
2	브루나이	74.7	2	태국	98.5
3	말레이시아	73.2	3	말레이시아	80.5
4	인도네시아	57.9	4	브루나이	77.2
5	태국	52.9	**5**	**베트남**	**75.9**
6	필리핀	47.7	6	인도네시아	57.1
7	**베트남**	**41.7**	7	필리핀	28.2
8	미얀마	34.5	8	라오스	13.4
9	캄보디아	22.2	9	캄보디아	8.1
10	라오스	18.9	10	미얀마	1.8

(출처: 국제연합, 세계은행, 대외경제정책연구원KIEP)

설되지 않으면 저소득층은 제대로 된 교육을 받지 못하고 환경 위생 문제와 범죄가 발생하기도 한다. 그래서 베트남 정부는 교통, 안전, 환경, 교육, 의료, 보건 등 다양한 분야에서 스마트시티 기술을 도입해 이러한 문제를 최소화하려고 한다. 또한 특정 도시 한 곳에 집중하지 않고 북부 하노이, 중부 다낭과 후예, 남부 호찌민과 껀터 등 전국 5개 광역 도시로 분산한 국토 균형 발전도 꾀하고 있다. 이에 호응해 2022년 5월 우리나라 중소기업중앙회와 중소벤처기업부가 공동으로 '스마트시티 아시아 2022'를 호찌민에서 개최했다. 스마트홈, 스마트에너지, 스마트팩토리, 스마트모빌리티 등 스마트시티 산업 전반에 대한 전시회를 열었다. 개막식에 이례적으로 베트남 외교부 차관과 정보통신부 차관이 함께 참석할 정도로 베트남 정부가 적극적인 관심을 표했다.

호찌민의 야경

스마트 시티 개발에 한국 기업이 참여하고 있다

베트남 정부가 지역 균형 발전을 꾀하는 스마트시티 개발에 우리 한국 기업들도 적극적으로 참여하고 있다. 2022년 12월 한국토지 주택공사LH는 베트남 북부 흥옌성과 스마트시티 개발 협력 양해각 서를 체결하고 산업단지 중심의 복합도시 개발, 사회주택 부문에서 스마트시티 개발 협력 사업들을 추진하고 있다. 한국토지주택공사 가 개발하기로 한 흥옌성은 수도 하노이와 베트남 북부 최대 항구 도시이자 LG그룹의 생산기지가 있는 하이퐁을 연결하는 지역이다. 이곳이 신도시로 개발되면 하노이에 집중된 인구들이 흥옌 신도시 로 이주하게 되어 하노이 인구과밀을 해소할 수 있다. 또한 하노이 에 집중된 전문 인력들이 흥옌에 거주하게 되면 전문 인력 부족을 호소하는 하이퐁에서 취업하는 효과도 거둘 수 있다.

남부 호찌민의 경우 2020년 6월 총리가 '국가 디지털 변환 프로 그램'을 적용한 호찌민 스마트시티 사업의 원활한 진행을 위해 공개적으로 한국 기업들에 투자와 지원을 요청한 상태이다. 롯데그룹은 호찌민 투 티엠Thu Thiem에 에코 스마트시티 세부 조정안을 승인받고 롯데자산개발, 롯데쇼핑, 롯데호텔, 롯데건설 등이 9억 달러(1조 1,500억 원)를 투자해 5만 제곱미터(2만 2,500평) 부지에 지하 5층, 지상 60층, 연면적 68만 제곱미터 규모로 주거·금융·오피스·상업 시설 등이 들어선 스마트 복합단지를 건설하고 있다.

베트남 정부가 장기적인 계획을 통해 특정 도시에 국한되지 않고 지역별 균형 발전과 국가 경제 발전을 동시에 추구하는 것은 극찬할 일이다. 다만 스마트시티 개발의 의미가 단순히 효율적인 도시 운영만이 아니라 놓치기 쉬운 저소득층 시민들에게 공공 인프라를 통해 교육, 의료, 주택 등을 스마트하게 지원하는 것임을 잊지 않기를 바란다.

7

베트남 배우들이 할리우드를 점령하고 있다

VIETNAM

2023년 3월에 개최된 제95회 아카데미 시상식은 아시안 배우들의 잔치였다. 말레이시아계 배우 양자경Michelle Yeoh이 아시아인으로는 최초로 여우주연상 수상의 영광을 안았다. 그의 출연작인 「에브리씽 에브리웨어 올 앳 원스(이하 '에에올')」가 감독상, 여우주연상, 남우조연상, 작품상 등 총 7개 부문을 석권했다. 아카데미 시상식을 앞두고 전 세계의 관심사는 말레이시아 출신의 양자경이 아시아인 최초로 아카데미 여우주연상을 거머쥘 수 있을지에 초점이 맞추어져 있었다. 하지만 베트남에 살고 있는 필자와 1억 명의 베트남 사람들에게는 각기 다른 작품으로 남녀조연상 후보에 나란히 오른 두 명의 베트남계 배우들의 수상 여부가 최대 관심사였다.

베트남계 배우들이 오스카에서 주목받고 있다

남우조연상 후보에 오른 꾸안 께 후이Quan Ke Huy는 영화 '에에올'에서 양자경의 남편 역으로 인상적인 연기를 펼치며 관객들과 평단 모두로부터 러브콜을 받았다. 이미 그 전 1월에 제80회 골든 글러브 남우조연상을 수상한 것을 포함해 크고 작은 영화제에서 이미 40차례를 수상해 아카데미 수상 역시 예상되었다. 40대 이상의 한국인이라면 추억의 영화 「구니스」「인디아나존스 2」에 출연했던 동양인 꼬마 아이를 기억할 텐데 꾸안 께 후이가 바로 그 아역 배우이다. 꾸안 께 후이는 전 세계적으로 흥행한 영화에서 아역 스타로 데뷔했지만 1980~1990년대에 아시아계 배우가 마땅히 설 자리가 없었던 할리우드에서 배우로 활동할 기회를 잡지 못했다. 배우로서의 삶을 포기하고 조감독, 무술연기 지도자로 영화계에서 인연을 붙잡고 있었다. 그러다 아시안계 감독과 배우들만 이루어진 영화 「크레이지 리치 아시안」이 3주 연속 북미 박스 오피스 1위를 하고 제작비의 7배에 달하는 2억 달러의 수익을 거둔 대흥행을 하는 것을 보고 용기를 얻어 다시 영화계에 데뷔해 성공했다.

영화 「더 웨일」(2023)로 아카데미 여우조연상 후보에 오른 홍 차우Hong Chau는 이미 몇 년 전부터 할리우드에서 실력파 배우로 인정받고 있다. 2018년 영화 「다운사이징」으로 평론가들로부터 극찬을 받으며 제75회 골든글로브 여우조연상 후보와 미국배우조합상 여우조연상 후보에 올랐다. 아카데미상 3개 부문에 후보를 올린 「더 웨일」과 함께 1년 사이에 연달아 개봉한 영화 「더 메뉴」(2022), 「쇼잉 업」(2022)에서 모두 인상 깊고 매력 있는 조연을 맡아 평론가들로부터 극찬을 받고 있다. 말 그대로 요즘 할리우드에서 가장 잘나가는 배우이다. 훌륭한 작품과 명품 연기에도 불구하고 유력한 여우주연상 후보와 남우조연상 모두 아시아인들인데다 2022년 아카데미에서 한국의 배우 윤여정이 여우조연상을 수상한 터라 텃세 심한 아카데미가 여우조연상까지 2년 연속해서 아시아인에게 줄 수 없었던 것으로 보였다. 하지만 2023년과 2024년에 연달아 상영 예정인 홍 차우의 작품들과 그 연기력을 고려하면 조만간 다시 한번 아카데미에서 수상 경쟁을 펼칠 것으로 보인다.

꾸안 께 후이와 홍 차우의 삶은 그들이 출연한 영화만큼이나 극적이다. 두 사람 모두 전쟁 직후 베트남을 탈출한 피난민 출신들이다. 꾸안 께 후이는 1978년 6세 때 가족들이 베트남을 탈출해 말레이시아, 홍콩 피난민 수용소에서 지내다 미국으로 옮겨 가 정착했다. 홍 차우 부모는 1979년 베트남을 탈출해 태국 피난민 수용소에서 홍 차우를 낳았고 이내 미국으로 옮겨 갔다. 목숨을 걸고 탈출한 피난민들이 미국 최고의 영화배우들이 된 것 자체가 대단한 드라마이다.

그런데 필자는 이들의 드라마와 같은 인생보다는 선진국에서 거주하는 개발도상국 출신 이민자들의 성공을 통해 해당 국가들의 미래를 예측하는 것이 더 흥미롭다. 개발도상국 출신 이민자들의 성공적인 정착과 해당 국가의 발전 가능성에 관한 연관 관계나 특별한 이론을 통해 증명된 것은 아직 없어 보인다. 하지만 힘겨운 이민 생활이라 하더라도 한국인, 중국인, 인도인처럼 특정 국적의 이민자들 중에는 미국처럼 좋은 사회 경제 환경과 능력에 따른 기회가 주어졌을 때 사회 각 분야에서 두각을 나타내는 경향이 있다. 그래서 선진국에서 두각을 나타내는 특정 개발도상국 출신의 이민자들의 모습을 통해 해당 국가의 발전 가능성을 가늠해볼 수 있다.

할리우드에는 꾸안 께 후이나 홍 차우 이외에도 인기 영화에서 훌륭한 역을 소화하는 베트남계 배우들이 꽤 있다. 「스타워즈: 라스트 제다이」 조연과 「라야와 마지막 드래곤」의 주인공이었던 켈리 마리 쩐Kelly Marie Tran 역시 「스타워즈: 라스트 제다이」 조연과 베트남 영화사상 처음으로 미국에서 개봉한 「퓨리에」의 주인공 베로니카 응오Veronica Ngo, 「엑스맨: 아포칼립스」 조연과 넷플릭스 시리즈 「내가 사랑했던 모든 남자에게」의 주인공 라나 콘도르Lana Therese Condor 등이 명배우로 성장할 수 있는 환경 속에서 자신의 능력을 최대한 펼치고 있다.

베트남 영화들이 해외로 진출하고 있다

베트남 국내 영화계도 한국의 든든한 자본과 기획력을 바탕으로 훌륭한 성과를 이루어내고 있다. CJ ENM이 제작한 「누의 가족Nha Ba Nu」이 베트남 영화사상 최고의 흥행 기록을 세웠다. 이 영화는 2023년 2월 17일 개봉 24일 만에 4,500억 동(250억 원)의 매출을 기록하며 400만 명 이상의 관객을 동원했다. 3월 3일부터 CJ ENM 배급을 통해 미국 캘리포니아, 텍사스, 애리조나, 플로리다 등 곳곳에서 개봉했다. 이 영화는 베트남 영화사에 두 가지 특별한 의미를 갖는다.

첫째, 그간 베트남 영화 흥행 기록 대부분을 차지하던 할리우드 영화들의 흥행 기록을 모두 깨뜨렸다.

둘째, 그간 역대 베 트남 흥행 영화의 대부분은 한국 영화의 리메이크 작이었는데 이번 에는 순수한 토종 베트남 콘텐츠이다.

베트남 본연의 이야기로 사상 최고의 흥행 기록을 세운 것은 이번이 처음이 아니다. 2021년 12월 개봉한 「늙은 아버지Bo Gia」는 4,269억 동(235억 원) 매출을 기록하며 베트남 영화로는 사상 처음으로 관객 400만 명을 동원했다. 하지만 당시 베트남은 코로나 팬데믹으로 1년 넘게 지속된 상영과 극장 운영 금지가 풀린 직후라 관객들이 영화에 굶주려 있었다. 게다가 스크린을 경쟁할 할리우드 대작들이 거의 없었기 때문에 훌륭한 흥행 성적에도 불구하고 제대로 평가받지 못했다. 하지만 이번에는 전 세계적으로 흥행 돌풍을 일으킨 수많은 할리우드 영화들이 상영하는 속에서 베트남 영화가 할리우드 대작들을 누르고 사상 최고의 흥행 성적을 거두었다. 게다가 작년 흥행 대작 「늙은 아버지」의 주인공이었던 쩐 탄Tran Thanh이 이번 「누의 가족」에서도 주인공을 맡았다.

전 세계적으로 K-콘텐츠가 대유행이지만 머지않아 V-콘텐츠가 유행할지도 모르겠다. 한국의 자본력과 기획력이 베트남계 할리우드 배우들과 베트남 현지의 감성 넘치는 배우들과 함께 큰일을 저지르기를 가슴 벅차게 기대한다.

⭐ 당신이 몰랐던 베트남

여성 경제 활동 인구가 글로벌 평균의 2배이다

필자는 베트남이 꼭 발전하는 나라가 될 것이라 확신하는데 그 근거 중 하나가 바로 '베트남 여성들'이다. 베트남 여성들은 강인한 생활력으로 자기 삶을 주체적이고 적극적으로 살아간다. 베트남 역사 속 수많은 여성 영웅이 이를 증명한다. 천 년 중국 지배 역사 속에 후한을 상대로 민중 봉기를 일으켜 베트남 최초의 독립 국가를 건국한 영웅은 쯩 짝Trung Trac, 쯩 니Trung Nhi 자매이다. 이 두 여성이 역사적 거사를 일으켰을 때 함께 중국군과 싸웠던 영웅호걸들은 36명의 여성 장수들과 백발백중으로 적들을 벌벌 떨게 했다는 여성 궁수 부대들이었다. 단순하게 모계 사회 국가에서 있었던 전설 같은 이야기로 치부할 수 없는 것이 대도시 곳곳의 중심 도로 이름을 '두 명의 쯩' 여사라는 뜻의 하이 바 쯩Hai Ba Trung이라 부르며 이 두 여성 영웅을 기린다.

베트남에는 그 외에도 수없이 많은 여성 영웅이 있다. 프랑스와의 독립 전쟁 중에 나라를 위해 헌신한 응웬 티 민 카이Nguyen Thi Minh Kay, 우리의 유관순 열사와 비슷한 시기에 17세의 나이로 무장 독립운동을 하다 순국한 보 티 사우Vo Thi Sau, 국가 부주석까지 올랐던 응웬 티 딘Nguyen Thi Dinh 등등. 베트남에는 이들 여성 영웅들을 기리기 위해 그들의 이름을 딴 학교와 도로가 전국 곳곳에 있다.

베트남 민족의 영웅 호찌민 주석은 프랑스와의 전쟁에서 승리하고 1945년 9월 2일 하노이 바딘 광장에서 베트남 민주공화국 수립을 선포했다. 이때 바딘 광장에서 첫 국기 게양식을 하는데 여성

세계 중견 기업 이상 여성 고위직 임원 비율

항목	세계 평균(%)	베트남(%)
최고 경영자	26	20
최고 운영자	22	32
최고 인사담당자	38	59
최고 재무책임자	36	60
임원 비율	31	39

(출처: 그랜드 쏜튼, 「2021 여성 기업인」)

2명과 남성 2명이 국기를 게양하게 했다. 평소 호찌민 주석이 '여성은 혁명을 함께 이루어 낸 동지이며 남성과 여성의 권리는 동등하다'라고 강조한 것을 전 세계에 상징적으로 보여준 모습이었다. 호찌민 주석은 일찍이 프랑스와의 독립 항전 중인 1930년 10월 20일 베트남 여성연맹을 창립하게 해 여성들의 참정권을 보장하고 여성의 존재 가치를 존중하는 국가 기념일로 선포했다. 그래서 베트남에는 3월 8일 '세계여성의 날'과 10월 20일 '베트남 여성의 날' 이렇게 두 번의 여성의 날을 국가 전체가 기념한다.

전쟁이 끝나고 베트남 여성들은 생활 전선에서 독립적이고 주도적으로 삶을 이끌어 나갔다. 2021년 국제노동기구ILO가 내놓은 「베트남의 성과 노동시장」이라는 보고서에 따르면 2019년 생산가능 인구에 속하는 베트남 여성의 70.9퍼센트가 경제활동 인구였다. 이는 글로벌 평균인 47.2퍼센트보다 월등하게 높은 수치이다. 베트남 여성들은 기업에서 임원 비율도 꾸준히 높아지고 있다. 2021년 시장 조사기관 아이프라이스iPrice가 세계 여성의 날을 맞아 동남아 주요 6개국 전자상거래 기업의 임원 현황을 조사한 결과 베트남은 여성 임원 비율이 46퍼센트로 1위를 차지했다. 글로벌 회계 컨설팅 기업 그랜트 쏜튼Grant Thornton이 해마다 발간하는 「2021 여성 기업인」에 따르면 베트남 기업의 최고 재무 책임자 60퍼센트, 인사 임원 59퍼센트, 최고 마케팅 책임자 34퍼센트가 여성이다. 이 조사에 따르면 베트남 기업에서 여성 임원 비율은 세계 3위이다.

베트남 1인당 국민소득이 2022년 기준 4,110달러밖에 안 되지만 베트남 여성들은 사회적 참여율이 높고 적극적으로 자신의 의견을 개진하며 가족 소비의 주체이다. 미·중 갈등으로 베트남이 중국을 대신할 시장으로 주목받으면서 안정적이고 빠른 경제 성장을 하고 있으니 베트남 여성 고객들의 구매력은 더욱 향상될 수밖에 없다. 베트남 시장에 진출하려는 한국 기업들은 이 베트남 여성 고객들을 어떻게 붙잡아야 할까?

여성들을 위한 사회 공헌 활동을 하는 것도 한 방법이다. 여성들이 질 좋은 일자리를 가질 수 있도록 교육을 해주고 여성들을 위한 장학금을 주는 것도 여성 고객들에게 다가서는 방법이다. 어떠한 홍보를 하고 사회 공헌 활동을 하더라도 중요한 것은 단순한 도움이 아니라 '강인한 베트남 여성들'이 꿈을 실현할 수 있게 지원해주는 것이어야 한다.

2장

베트남 정치외교력

인트로

VIETNAM

2001년 골드만삭스의 짐 오닐 회장이 10년 후 세계 경제의 주도권을 장악할 나라로 브라질, 러시아, 인도, 중국, 남아프리카공화국 이렇게 5개 국가를 뽑아 브릭스BRICs로 명명했다. 그 후 브릭스 국가들의 이름을 딴 다양한 투자 상품들이 개발되었고 이 중 중국 투자 상품은 말 그대로 초대박을 쳤다. 그리고 각종 경제기관들과 전문가들이 브릭스의 뒤를 이을 다양한 신흥 국가 선정이 유행했다.

수많은 국가가 언급되었지만 20여 년이 지난 지금까지 유망한 신흥 국가로 남아 있는 곳은 베트남과 인도네시아 정도이다. 인구가 많고 젊은 사람 비중이 크다고 해서 국가가 성장할 수 있는 것은 아니다. 국민 모두가 성장하고자 하는 욕망이 있어야 하고 부족하지만 차근차근 국가 인프라를 갖춰가려는 정부의 강한 의지가 있어야만 한다. 이러한 내부적인 요소가 모두 다 갖추어져 있다고 하더라도 주변 국가들과의 경쟁과 갈등 속에서 살아남지 못한다면 성장 가능한 국가의 위치에서 곧바로 탈락하게 된다.

1. 넥스트 11: 2005년 골드만삭스가 브릭스 국가들을 이을 차세대 성장국가로 선정한 11개국

   (한국, 베트남, 필리핀, 인도네시아, 방글라데시, 파키스탄, 이집트, 이란, 멕시코, 나이지리아, 튀르키예)

2. VISTA: 2006년 일본 브릭스 연구소가 선정한 브릭스 뒤를 이을 신흥 5개국

   (베트남, 인도네시아, 남아프리카공화국, 튀르키예, 아르헨티나)

3. TVT: 2006년 일본 유명 경제학자 오마에 겐이치가 선정한 유망 프런티어 국가

   (태국, 베트남, 튀르키예)

4. MAVINS: 2010년 미국 언론 비즈니스인사이더가 선정한 브릭스 이후 주목해야 할 6개국

   (멕시코, 오스트레일리아, 베트남, 인도네시아, 나이지리아, 남아프리카공화국)

5. VIP: 2012년 일본의 닛케이가 선정한 브릭스를 대체할 국가 3개국

   (베트남, 인도네시아, 필리핀)

베트남의 내부적인 성장 동력과 대외적인 환경이 베트남을 성장할 수밖에 없게 만들고 있다. 하지만 그 외부적인 성장은 높은 건물 사이에서 줄을 타는 형국과 같아서 자칫하면 한순간에 비명횡사할 수 있는 상황이다. 그런데도 베트남은 외교 줄타기의 명수로서의 모습을 보여주고 있다.

1

왜 미국은 베트남을 주목하는가

VIETNAM

　최근 베트남과 미국이 동맹국 수준으로 가까워지는 것 아니냐는 관측이 나올 정도로 두 나라의 관계가 매우 뜨겁다. 이를 지켜보는 중국은 불편하다 못해 불쾌한 감정을 공개적으로 드러내기까지 하고 있다.

　남미, 아프리카, 아세안 등 전 세계 80여 개국에 중국산 백신을 지원하면서 백신 외교에 승기를 잡은 곳은 중국이었다. 미국이 뒤늦게 백신 외교전에 뛰어들면서 느닷없이 베트남이 미중 백신 전쟁의 한가운데 서버렸다. 겉으로는 백신 기부이지만 실상은 중국과 아세안 국가들이 영토 분쟁을 겪는 베트남 동해(남중국해)와 메콩강 유역을 둘러싼 여러 국가의 치열한 정치, 경제, 외교, 군사적 갈등 등 다양한 이해관계가 숨겨져 있다.

　2021년 7월 27일 미국의류신발협회AAFA와 8월 16일 나이키, 아디다스, 갭, 코치 같은 주요 패션·스포츠 브랜드 90개 기업의 CEO들이 바이든 대통령에게 베트남에 더 많은 백신을 지원해줄 것

AAFA가 바이든 대통령에게 베트남에 백신을 공급할 것을 촉구한 서한

APPAREL &
FOOTWEAR
ASSOCIATION

Advocacy that fits.

740 8th Street, NW • Washington, DC 20001 | P. 202-853-9080 | www.aafaglobal.org

July 27, 2021

The Honorable Joseph R. Biden
President of the United States
The White House
Washington, DC 20500

**SUBJECT: Need to Ramp Up Distribution of Excess U.S. Vaccines and COVID Testing and PPE to
Vietnam & Other Key Partner Countries**

Dear Mr. President:

On behalf of the American Apparel & Footwear Association (AAFA), I am following up on <u>our June 9
letter</u> to applaud your efforts over the last month to begin to distribute vaccines to countries in our
own backyard and to key partners around the world. Yet, over that same month, we have witnessed
new lockdowns in Vietnam, Bangladesh, and other countries, suffering under the crush of surging
infections. And we have seen a new country, Indonesia, take over the mantle as having the highest
number of COVID cases in the world.

을 연달아 요청했다. 미국 전체 의류, 신발, 여행용품의 20퍼센트가
베트남에서 생산되고 있다. 그런데 이번 코로나19 확산으로 공급에
타격을 입게 되면서 미국 기업들이 긴급하게 요청한 것이다. 2020
년 전 세계 나이키 신발의 50퍼센트가 베트남에 있는 공장에서 생
산되었다. 어느 순간 베트남이 미국에 꼭 필요한 존재가 된 것이다.

미국, 적극적인 백신 선물 공세를 하고 있다

2021년 8월 24일 차기 미국 대통령 후보로 꼽히는 카멀라 해리
스Kamala Harris 부통령이 2박 3일 일정으로 베트남을 방문하면서 많
은 선물 보따리를 풀어냈다. 미국은 그동안 베트남에 모더나 500만
회분을 무상 지원했는데 해리스 부통령이 베트남을 방문하면서 화이
자 100만 회분을 추가로 가져왔다. 베트남은 기존 화이자 구매 계약
3,100만 회분에 이어 2,000만 회분을 추가로 계약했다. 화이자는 베
트남 청소년 900만 명의 백신 접종을 위한 2,000만 회분을 무상으

로 지원하기로 한 상태였다. 이에 미국 국방부가 베트남 전국 63개 성에서 화이자 백신을 영하 70도에서 보관할 수 있는 초저온 냉장고 77개를 기부하기로 하고 미국 인도-태평양 사령부의 괌 공군기지에서 베트남으로 수송 작전을 펼쳤다. 또한 미국 정부는 백신 유통과 전염병 퇴치 지원 명목으로 2,300만 달러를 지원하기로 했다.

거기에 아울러 미국질병통제예방센터CDC 동남아시아 지역본부를 베트남 하노이에 설치하기로 하고 해리스 부통령 방문에 맞춰 개소식을 했다. 전 세계에 4곳밖에 없는 미국질병통제예방센터 해외 지역본부 중 하나를 베트남에 설치한 것은 미국이 베트남을 거점으로 중국이 '백신 일대일로'를 통해 동남아 지역에 영향력을 확대하려는 것을 차단하려는 것을 뜻한다. 또한 미국이 베트남에 지원하는 초저온 냉장고를 미국 인도-태평양 사령부가 기부하고 공군 수송기로 운송하는 것은 베트남과 미국의 군사적 협력을 시작하는 신호로 해석할 수도 있다.

이를 지켜보는 중국은 상당히 예민하게 반응했다. 해리스 부통령이 베트남에 도착하기 두 시간 전 주베트남 중국 대사가 베트남 총리를 만나 '평화로운 사회주의 이웃 국가 간의 불화를 조장하는 시도를 막아야 한다'며 중국 백신 200만 회분을 지원하겠다고 했다. 해리스 부통령이 가져오는 화이자 100만 회분을 의식해 더 많은 2배를 지원하겠다는 것이다. 중국은 베트남과 미국의 협력을 왜 이렇게 민감하게 반응하는 것일까?

미국, 남중국해 분쟁 개입 의사 표명하다

해리스 부통령이 베트남을 방문하기 한 달 전 로이드 오스틴 미

남중국해

미국이 중국과 영토 분쟁을 겪고 있는 베트남 동해(남중국해) 문제에 다양한 형태로 지원하는 것을 협의한 것으로 보인다.

국방부 장관이 먼저 베트남을 다녀갔다. 베트남과 미국 양국 국방부 장관이 다양한 현안에 대해 협의를 했는데 여러 대목 중 눈에 띄는 것은 '해상법 집행 능력 강화'이다. 결국 미국이 중국과 영토 분쟁을 겪고 있는 베트남 동해(남중국해) 문제에 다양한 형태로 지원하는 것을 협의한 것으로 보인다.

해리스 부통령은 응우옌 쑤언 푹 베트남 국가주석과 만난 자리에서 더 노골적으로 "중국이 유엔 해양법 협약을 준수하도록 압박 강도를 높이는 방법을 찾아야 한다."라고 말했다. 게다가 베트남이 중국과 영토 분쟁을 겪고 있는 해역에 "미국 해안경비요원을 파견하는 것을 지지하며 남중국해에 강력한 주둔을 유지할 것"이라고까지 했다. 중국은 베트남 주재 중국 대사관 명의로 "미국이 영유권 분쟁의 긴장감을 조성하는 배후에서 검은 손 역할을 하고 있다"고 비난했다. 중국이 수위를 조절하느라 외교부 성명이 아니라 베트남 주재 대사관의 성명서를 발표한 것이지만 내용은 이례적으로 거칠다.

전 세계 언론들이 '남중국해 갈등'에 미국이 개입한다는 것만 집중 보도하는데 미국이 중국을 압박하는 요소가 몇 가지 더 있다. 해리스 부통령은 베트남을 떠나며 남긴 담화문에서 앞으로 베트남과 협력할 분야로 '기상관측을 위한 우주 개발 협력'을 강조했다. 표면적으로는 기상위성이지만 중국을 겨냥한 군사위성으로 전환이 가능하다. 미국이 이를 적극 지원하겠다고 표명한 것이다. 또한 "기후변화에 따른 메콩강 유역의 침식에 대해 깊은 우려를 베트남 정부와 공감했다"고 말했다. 이는 중국이 자국 내 메콩강 상류에 11개의 수력 발전 댐을 설치하면서 메콩강 하류인 베트남, 캄보디아에는 강물 유입량이 줄어 농업과 어업에 막대한 피해를 받고 있는 것을 말한다. 중국은 투자 형태와 차관 형태로 미얀마, 라오스, 캄보디아에 2030년까지 추가로 댐을 30개에서 최대 70개까지 더 짓겠다는 입장이다. 필자는 남중국해보다 메콩강 유역에서 친중 국가와 반중 국가 사이에 전쟁이 발발할 가능성이 더 높다고 본다.

베트남은 미국과 전략적 동반자 관계를 맺을까

해리스 부통령과 오스틴 국방부 장관이 공통적으로 방문한 곳이 미국 포로들이 수용되어 있던 호아 로Hoa Lo 교도소이다. 오스틴 국방부 장관은 베트남 첫 방문지로 선택했고 해리스 부통령은 베트남 전쟁에 참전했다가 포로로 붙잡혀 호아 로 교도소에 수감되었던 존 매케인 상원의원의 3주기 추모일에 맞춰 방문했다. 미국 초고위급 관계자들이 연달아 전쟁으로 얼룩진 과거를 청산하고 새로운 전략적 파트너로서 관계를 형성하겠다는 제스처를 취한 것으로 보인다.

호아 로 교도소

해리스 부통령과 오스틴 국방부 장관이 공통적으로 방문한 곳이
미국 포로들이 수용되어 있던 호아 로 교도소이다.

이 해석이 과도하지 않아 보이는 것이 해리스 부통령이 교도소 방
문 전날 주베트남 미국대사관 신축 이전 협약 체결식을 이행했다.
신축 비용이 12억 달러로 우리 돈으로 무려 1조 4,000억 원이다.
베트남과의 크나큰 새로운 동맹자적 위상에 걸맞게 대사관 규모도
바뀌는 듯하다.

그렇다면 베트남은 정말 미국과 군사적 동맹을 맺고 아세안 지
역의 반중 전선의 선봉에 서게 될까? 베트남은 외교 줄타기의 명수
라 절대 어느 한쪽에 치우치지 않는다. 중국을 견제하기 위해 미국
과 적극적인 관계는 형성하겠지만 그렇다고 중국과 대척점에 서지
는 않을 것이다. 전 주미 베트남 대사를 역임한 팜 꽝 빈Phạm Quang
Vinh이 베트남 현지 언론인 VN익스프레스VNExpress에 기고한 글
일부를 인용하며 앞으로 베트남이 취할 베·미중 관계를 예상하며
글을 마친다.

'베트남을 비롯한 아세안 국가들은 어느 편을 들거나 평화와 안전을 해치거나 국제법을 무시하는 그러한 경쟁을 원하지 않는다. 베트남과 아세안 지역의 중요한 파트너인 미국과 중국은 이 점을 분명히 알아야 한다.'

2

왜 메콩강이 화약고로 떠올랐는가

VIETNAM

중국이 베트남과 영토 분쟁을 벌이고 있는 베트남 동해(남중국해)에 미국이 적극 개입하겠다고 천명하면서 긴장감이 감돌고 있다. 미군의 인도-태평양 사령부가 운영하는 온라인 매체 인도-퍼시픽 디펜스 포럼Indo-Pacific Defense Forum에 따르면 2021년 7월 14일 미국 정부는 대외군사자금 지원 프로그램FMFP을 통해 미국 해안 경비대의 115미터 길이 함정을 베트남에 양도했다. 이는 미군이 베트남에 두 번째로 기증하는 함정이다. 미국 국무부는 이번 고속정과 2017년 또 다른 함정의 기증은 미국과 베트남 간 가장 중요한 국방 장비 양도라고 의미를 뒀다.

미국, 반중 국가들에 군사적 지원을 하고 있다

2016년부터 2019년까지 미국은 대외군사자금 지원 프로그램을 통해 베트남에 약 1억 5,000만 달러(2,000억 원)를 지원했다. 고속정 두 척을 기증하는 데에도 5,800만 달러(760억 원) 이상을 배정

해안경비정

미국은 베트남에 해안경비정을 제공했다.

했고 메탈샤크 고속 순찰선 24척도 베트남에 기증했다. 또한 2018
년 대외군사자금 지원 프로그램을 통해 해양 초계기, 드론, 해안 레
이더 훈련 역량을 강화하는 인도-태평양 전략 계획에 따라 베트남
에 500만 달러를 지원했다. 미국뿐만 아니라 반중국협의체QUAD
국가들도 베트남을 적극적으로 지원하고 나섰다.

　2021년 7월 일본은 자위대가 새로 진수한 전투함 6척을 베트남
이 인수할 수 있도록 366억 엔(약 3,700억 원)의 차관을 지원했다.
이에 대한 후속 조치로 2021년 9월 12일 기시 노부 일본 방위상
이 베트남 하노이를 방문해 베트남 국방부 장관과 일본 자위대와
베트남군 간 '군사 장비 판매 및 방위 기술 공유 협상'을 체결했다.
2017년 일본 자위대가 사용하던 순시선 6척을 기증한 데 이어 중
국을 견제하기 위해 미국의 군사동맹 국가들이 베트남에 지원을 집
중하고 있다. 또한 일본이 베트남군과 합동 군사 훈련을 하고 사이
버 보안 협력을 강화하기로 했다. 합동 군사 훈련을 통해 일본 전투
함이 중국과 영토 분쟁에 개입할 수 있는 길이 열린 셈이다.

인도 총리는 2020년 12월 베트남 국가주석과 회담을 갖고 양국의 군사 협력을 약속했다. 인도는 베트남에 5억 달러(6,600억 원)의 차관을 제공하기로 했고 베트남은 그 차관으로 인도에서 무기를 구매하기로 했다. 인도는 베트남이 동해(남중국해)에서 중국에 압도당하지 않도록 신형 군함 1척과 고속정을 주기로 했다. 무엇보다 중국을 당혹스럽게 한 것은 인도가 러시아에서 사들여 온 초음속 순항미사일을 베트남에 공급하기로 한 것이다. 이 초음속 순항미사일은 항공모함과 군함을 공격할 수 있는 무기여서 중국의 항모 전단이 마음 놓고 베트남 동해에 드나들기 어려워졌다. 인도가 초음속 순항미사일을 러시아 동의 없이 베트남에 재판매할 리가 없다. 러시아가 베트남을 간접적으로 지원한 것이다. 긴장 상태는 남중국해에서만 벌어지고 있는 것이 아니다. 인도차이나반도의 근원인 메콩강을 둘러싸고 남중국해 못지않은 긴장감이 고조되고 있다.

왜 중국은 메콩강 유역에 댐을 건설하는가

메콩강(중국명 란창강)은 4,180킬로미터에 달하는 세계에서 12번째로 긴 강이다. 중국 티베트에서 발원하여 미얀마, 라오스, 태국, 캄보디아, 베트남까지 6개국을 거쳐 흐른다. 6,500만 명이나 되는 인구가 이 강 유역에 살면서 메콩강을 통해 직접적인 경제 활동을 하고 있다. 메콩강은 생물 다양성은 세계 2위, 담수 어업량은 세계 1위를 자랑하는 인도차이나반도 생명의 원천이다. 그런데 중국이 수력 발전을 위해 자국에 11개, 라오스에 1개 댐을 건설하면서 태국, 캄보디아, 베트남과 같은 메콩강 하류에 위치한 국가들의 강물 유입량이 급격하게 줄어들고 있다. 중국은 미얀마, 라오스, 캄보디

메콩강 삼각주

메콩강 삼각주 토양에 영양분을 제공하는 퇴적물이 2007년 대비 70퍼센트가 줄어들어 벼농사에 큰 타격을 입고 있다.

아에 일대일로 정책의 일환으로 댐을 짓는 데 차관 형태로 돈을 빌려주고 2030년까지 최소 30개에서 최대 70개까지 댐을 늘리겠다는 입장이다.

　계속해서 짓고 있는 댐과 이로 인해 줄어든 유입량 때문에 캄보디아와 베트남의 어업량은 해마다 급격히 줄어들고 있다. 베트남 남부 경제의 큰 비중을 차지하는 메콩강 삼각주 토양에 영양분을 제공하는 퇴적물이 2007년 대비 70퍼센트가 줄어들어 벼농사에 큰 타격을 입고 있다. 메콩강은 100년 만의 최저 수위를 기록하고 있어 어획량도 급격히 줄어들어 메콩강 인접 국가들은 식량 안보 위기를 겪고 있다. 2020년 아세안ASEAN 의장국이었던 베트남은 이 문제를 의제에 포함하고 싶었으나 인도네시아, 말레이시아, 필리핀 등 메콩강과 직접 관련이 없는 아세안의 해양 국가들이 중국과의 마찰을 꺼려 해 의제 선정에 반대했다.

중국은 메콩강 유역 국가들을 달래기 위해 란창-메콩협의체LMC*를 결성하고 정기적으로 의제를 논하고 있지만 댐 건설로 인한 근본적인 문제는 전혀 해결되지 않고 있다. 이에 메콩강을 둘러싼 중국의 일방적인 횡포라며 미국이 개입하면서 메콩강 문제가 세계적으로 공론화되었다.

미국, 메콩강 분쟁에 개입을 표명하다

2020년 9월 미국 국무부 동아시아·태평양 차관보가 "중국이 자신들의 이익을 위해 지난 25년간 메콩강의 흐름을 조작했고 이로 인해 하류 국가들의 피해가 크다"고 공개적으로 중국을 비난했다. 2021년 8월 동아시아정상회의EAS 외무장관 회의에서도 토니 블링컨 미국 국무부 장관이 '자유롭고 열린 메콩강'을 촉구했다. 아세안 내륙 지역의 평화와 안정을 위해 메콩강의 중요성을 강변하고 분쟁에서 지정학적 이점을 챙기려는 중국의 야심을 공개적으로 지적한 것이다.

미국은 메콩강 유역의 5개 아세안 국가들과 '메콩-미국 파트너십'을 결성하고 메콩강 상류에 있는 중국 댐의 수위를 인공위성으로 실시간 추적하여 홈페이지에서 누구나 확인할 수 있게 하는 '메콩 댐 모니터' 프로젝트를 시작했다.

중국은 댐 덕분에 메콩강 유역 지역들이 우기에는 홍수를 막고 건기에는 가뭄을 막는다고 격앙되게 해명하지만 수긍하는 국가들

---

* 메콩강 유역 국가들과의 협의가 중국에서 열리면 중국측 이름인 란창강을 먼저 표기해 '란창-메콩협의LMC, Lancang-Mekong Cooperation'라고 하고 아세안 국가들에서 회의가 열리면 '메콩-란창협의MLC, Mekong-Lancang Cooperation'라고 표기한다.

은 없다. 표면적으로는 전력 소비량이 많은 중국 동부 지역에 전력을 공급하기 위해 수력 발전량을 최대화하는 댐을 건설하고 있다. 하지만 속내는 메콩강 유입량을 조절해 인도차이나반도의 맹주인 베트남과 태국 길들이기를 하는 것으로 보인다. 세계 각국의 분쟁 전문가들은 남중국해에서 메콩강이 또 다른 화약고로 등장하고 있다며 초미의 관심사로 지켜보고 있다. 아세안 내에서도 메콩강에 대한 중국의 입장에 동조하며 경쟁국인 베트남과 태국의 힘이 약해지기를 바라는 국가와 중국의 인도차이나반도 지배력 강화에 저항하는 국가로 나뉘고 있다.

줄타기 외교의 달인인 베트남이 남중국해와 메콩강 좌우 양쪽에서 언제 터질지 모르는 화약고를 안고 어떠한 현명한 선택을 할지 지켜볼 일이다.

3

중국의 디지털 일대일로에 올라탈까

VIETNAM

시진핑 중국 국가주석이 2022년에 3연임을 확정 짓자마자 가장 먼저 만난 외국 정상은 의외로 베트남의 권력 서열 1위인 응우옌 푸 쫑 공산당 서기장이었다. 최근 미중 갈등으로 베트남이 중국을 대체할 생산기지로 부상하고 있고 베트남과 미국이 가까워지자 중국이 베트남과 관계 개선에 나선 것으로 보인다. 중국이 쫑 서기장 방문을 통해 베트남과의 관계 개선을 위해 얼마나 노력하는지를 여실히 보여주는 것이 시진핑 주석이 직접 주재한 환영식이었다. 중국 최고지도부 전원이 참석한 이 환영식에서 외국인에게 주는 최고 예우의 훈장을 시진핑 주석이 직접 수여하면서 쫑 서기장을 극진히 대접했다.

최근 몇 년간 베트남은 다낭에 두 차례에 걸쳐 미국 항공모함 입항을 허가하는 등 미국과 급격히 가까워지면서 중국으로서는 심기가 이만저만 불편한 것이 아니었다. 베트남 입장에서는 동해(남중국해)에서 중국 해경선의 위협으로 베트남 어선이 침몰하고 더 나아가 중국이 인공섬을 만들어 비행장을 건설하고 군함이 정박할 수 있는 항만 시설까지 갖추어 군사적 긴장을 고조시키고 있어 미국을 통해 중국을 견제할 수밖에 없었다.

2021년 7월 미국의 오스틴 국방부 장관이, 8월 카멀라 부통령이 연달아 베트남을 방문해 베트남 동해(남중국해)에서 중국을 견제할 순시선과 고속정을 무상 지원하고 "베트남이 중국과 영토 분쟁을 겪고 있는 해역에 미국 해안경비요원을 파견하고 남중국해에 강력한 주둔을 유지할 것"이라며 남중국해 문제에 미국이 적극적으로 개입할 의지를 피력했다. 더군다나 중국이 자국의 영토 내 메콩강의 최상류 지역에 건설한 11개의 댐으로 인해 어획량이 급감하고 메콩강 삼각지 일대가 염수화되면서 쌀 생산량에도 큰 타격을 입고 있어 국지전 형태의 무력 충돌 가능성이 높아지고 있었다.

중국의 화해 제스처에 베트남이 화답하다

중국 시진핑 주석은 베트남 응우옌 푸 쫑 서기장의 방문을 통해 최근의 베트남과의 갈등을 풀겠다며 적극적인 화해의 제스처를 보냈다. 이번 회담을 통해 양국은 메콩-란창협력MLC의 틀 안에서 메콩강 문제를 협의하기로 했다. 또한 베트남 동해(남중국해) 문제에 있어 양국은 분쟁 통제와 평화·안정 유지의 중요성을 높이 평가하기로 했다. 특히 시진핑 주석이 양국의 문제에 '외세의 개입'을 막아야 한다는 것을 강조했다. 쫑 서기장은 "어떤 국가에도 베트남에 군사기지를 건설하는 것을 허용하지 않을 것이며 그 어떤 군사동맹에도 가담하지 않을 것"이라고 화답했다.

이렇게만 보면 이번 쫑 서기장의 중국 방문을 통해 베트남과 중

이커머스 라이브 방송 중인 중국인 크리에이터들

국의 관계가 매우 밀접해지는 것처럼 보이지만 달라질 것은 없다. 베트남과 중국 양측 모두 원론적인 이야기를 했을 뿐이며 베트남은 언제나처럼 특정 세력의 군사동맹에 가입하지 않겠다고 했다. 하지만 이번 회담 이후 발표한 공동성명에서 눈에 띄는 것은 '양국은 경제 무역 협력에서 전자상거래의 역할을 높이 평가하고, 국경을 넘나드는 전자상거래 개발에 관한 교류를 강화하고, 물류업체 간 협력을 개선하고 강화한다'는 부분이다.

중국, 아세안 지역으로 이커머스 개척에 나서다

2018년 12월 중국은 베트남 국경 지역인 광시 좡족 자치구 난닝시를 아세안 이커머스 국경무역의 허브로 삼고 라자다Lazada를 비롯해 100여 개의 이커머스 플랫폼 기업을 유치했다. 특히 알리바바가 지분을 100퍼센트 보유한 라자다와 함께 난닝시 자유무역시범지구 내에 국경무역생태혁신서비스센터를 설치하고 난닝시에 거주하고 있는 베트남, 태국, 말레이시아, 인도네시아 등 아세안 출신

동남아시아 크로스보더

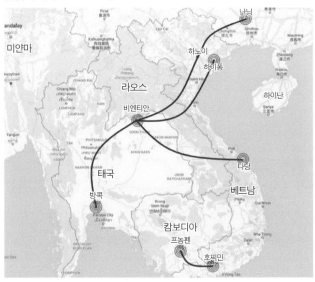

유학생 200여 명을 고용하여 라이브 스트리밍 방송을 통해 아세안 각국의 언어로 물건을 판매하고 있다. 난닝시는 2020년 '동남아 크로스보더 라이브 스트리밍 텔런트 대회'까지 열어 중국 상품의 판로로서 아세안 지역 개척에 적극적이다.

중국은 베트남 하노이를 인도차이나반도 이커머스 물류의 허브로 삼고 육로 수송을 통해 태국, 라오스, 캄보디아까지 배송하고 있다. 일본의 대표적인 물류 기업인 니폰익스프레스 역시 2021년 2월부터 중국 쑤저우-난닝-베트남 하노이까지 연결되는 국제 철도 물류 서비스를 시작했다. 시진핑 주석이 언급한 이커머스 확대와 물류업체 간 협력 개선은 이 부분을 말한 것이다.

2022년 역내 포괄적 경제 동반자 협정**RCEP**이 발효되면서 중국은 아세안 국가로의 적극적인 행보를 보이고 있다. 미중 무역 갈등으로 중국산 제품들이 미국과 유럽으로의 수출길이 대폭 감소되고 있는 상황에서 아세안 지역으로 새로운 이커머스 회랑을 만들어가 겠다는 의욕을 보이는 것이다. 이에 화답하듯 알리바바의 자회사이자 아세안 이커머스 플랫폼인 라자다는 2022년 5월 3억 7,850만 달러와 최근 9억 1,250만 달러 등 총 12억 9,100만 달러(1조 8,000억 원)를 추가 투자했다. 한때 아세안의 아마존으로 불리며 아세안 이커머스 시장을 장악했던 라자다는 경쟁 업체인 쇼피Shopee에 추격당해 아세안 전체 누적 적자가 10억 달러가 넘는 것으로 알려졌다. 그럼에도 이번에 대대적인 투자를 감행한 것이다.

알리바바의 물류 자회사인 차이니나오 네트워크Chaininao Network 는 파키스탄을 기반으로 방글라데시, 스리랑카 등 남아시아 지역 최대 물류업체인 다라즈Daraz와 기술 협력을 통해 남아시아 시장으로 확대도 진행하고 있다. 2022년 11월 2일 베트남 쫑 주석이 떠나자마자 시진핑 주석이 만난 국가 정상이 파키스탄 샤리프 총리이다. 샤리프 총리와의 정상회담에서도 파키스탄과 디지털경제, 전자상거래 분야 개척에 대해 논의한 것을 보면 중국이 아세안과 서남아시아 지역의 이커머스 시장에 공들이는 것을 알 수 있다.

베트남은 실리 외교의 달인이다

베트남은 언제나처럼 등거리 외교를 통해 중국과 미국 사이에서 실리를 챙기면서 국가 발전에 속도를 올리고 있다. 온라인 일대일로 정책 역시 베트남 소비자들이 온라인을 통해 구매하고 있는 중국산 제품들은 주로 저가의 휴지, 의류, 인테리어 용품들이다. 중국산에 대한 뿌리 깊은 불신이 있어 먹는 식품류나 피부에 바르는 화장품 구입 비율은 낮다. 반면 라오스, 캄보디아와 같은 소득 수준이 아주 낮은 국가들은 중국산이 전체 시장 대부분을 장악하고 있다. 중국 입장에서는 베트남에서 물건이 잘 판매되지 않더라도 다른 아세안 지역에서 판매가 잘되면 절반은 성공한 셈이다. 반면에 중국 자본으로 베트남을 중심으로 한 아세안 지역으로의 도로, 물류망, 창고, 물류 시스템을 구축하게 하고 시간이 지나면 베트남이 해당 유통망으로 자신들의 제품을 다른 아세안 지역으로 판매할 것이다. 베트남은 언제나처럼 어느 한쪽에 치우치지 않고 자국의 이득을 최우선으로 한다.

4

베트남은 지금 부패와의 전쟁 중이다

VIETNAM

　베트남 경제 개혁을 이끈 경제 전문 관료로서 친시장주의자이며 친서방파로 분류되는 응우옌 쑤언 푹 국가주석이 2023년 1월 17일 돌연 사임했다. 새해 벽두부터 국가주석의 갑작스러운 사임으로 베트남 정가가 술렁였다. 베트남에 진출한 9,500여 개 한국 기업들은 베트남 정치가 불안정해지진 않나 하는 불안감 때문에 신규 투자를 재검토하려는 곳들도 있다. 결론부터 말하면 걱정할 필요 없다.

　12년째 부정부패 척결 운동을 하고 있다
　국가 최고 권력자가 임기 중 사퇴한 것 자체는 예사롭지 않은 일인 것은 분명하지만 베트남 정국에 혼란은 없다. 중국은 집단 지도체제임에도 3연임을 하며 절대 권력자로 올라선 시진핑 주석 중심으로 국가 정책 방향을 결정하지만 베트남은 여전히 집단 지도체제를 고수하고 있다. 권력 서열 빅 4로 불리는 공산당 서기장(서열 1위), 국가주석(2위), 총리(3위), 국회의장(4위)을 중심으로 또 다른

응우옌 쑤언 푹 국가주석이 2023년 1월 17일 돌연 사임했다.

14명의 정치국원이 함께 국가 중대사를 결정하기 때문에 일시적인 국가 주석의 공백은 국정 운영에 별다른 문제를 주지 않는다.

푹 주석은 일신상의 이유로 사임했지만 실질적인 이유는 2016년부터 2021년까지 총리로 재임하던 시절 발생한 우리 돈 수백억 원에 달하는 대형 뇌물 스캔들에 대한 책임 사퇴이다. 이 스캔들로 인해 푹 주석의 사임 이전에 외교 부총리와 교육노동보건 부총리 2명이 해임되었고 장관급 인사 3명이 구속되었다. 이는 코로나 팬데믹 기간 중 해외 거주 자국민들을 특별 귀국시키는 과정에서 발생한 전세기 뇌물 스캔들과 엉터리 코로나19 진단 키트를 터무니없이 부풀려 공급하는 과정에서 발생한 뇌물 스캔들에 대한 조치이다. 당시 행정부 총책임자인 총리로서 푹 주석 본인이 임명한 부총리와 장관들에 대한 관리 감독 소홀에 대한 연대 책임에 따른 사임이라고 보는 것이 일반적이다.

이에 더해 베트남 최대 부동산 개발업체인 반 띤 팟Van Thinh Phat 회장이 2018년부터 사이공상업은행SCB으로부터 담보나 지급보증

응우옌 푸 쫑 베트남 당서기장이 리셴룽 싱가포르 총리와 환담 중이다.

없이 25조 동(1조 3,000억 원)을 대출받은 사건으로 2022년 10월 전격 구속되었다. 불법 대출 스캔들에 연루된 사이공상업은행에서 고객들이 현금을 인출하기 위해 각 은행 지점에 길게 줄을 섰고 베트남 정부는 뱅크런을 막기 위해 예금 전액을 보장하느라 애를 먹었다. 모두 푹 주석이 베트남 국내 문제 전반을 관장하는 총리 시절 관리 감독을 했어야 했던 일들이 연달아 터져 나오면서 책임을 지지 않을 수 없는 상황이 된 것이다.

국가 권력 서열 2위의 주석과 부총리 2명, 장관 3명에다 굴지의 대기업 회장까지 모두 정리된 이번 반부패 운동의 중심에는 2012년부터 현재까지 12년째 반부패 운동을 진두지휘하고 있는 응우옌 푸 쫑Nguyen Phu Trong 당서기장이 있다. 쫑 서기장이 부패와의 전쟁을 선포한 이후 부패, 권한 남용, 횡령 등 경제 범죄 1만 6,000여 건을 적발했고 관련자 3만 3,000여 명을 기소했다. 공산당원은 16만 8,000명이 비리 혐의로 징계받았으며 그중 7,000여 명은 형사처벌

을 받았다. 일부 외신에서는 부패와의 전쟁을 이용해 강경보수주의
자인 쫑 서기장이 정적들을 제거하는 것이 아니냐는 우려를 표한다.
해외 언론들의 보도 태도에 온도 차이가 있는데 영국, 프랑스 독일
외신들은 대체로 베트남 통신사의 보도 내용을 전달하는 수준이다.
반면 일본 언론에서는 친시장경제주의자 푹 주석이 실각하면서 외
국 투자가 줄어들 수 있어 베트남 경제가 위태롭다며 부정적인 의
견을 적극 표출하고 있다. 2020년 10월 당시 스가 요시히데 총리
가 취임 한 달 만에 첫 해외 순방길에 올라 방문한 나라가 베트남이
었다. 2021년 11월 22일 스가 총리의 후임인 기시다 후미오 총리
의 첫 공식 회담 파트너 역시 베트남이었다. 그만큼 일본이 베트남
에 공들이며 대대적으로 투자하고 있는데 혹시 베트남과 중국이 가
까워져 일본 기업이 활동에 어려움이 생길 것을 염려한 듯하다.

'반부패운동 탓에 경제 위기'라는 우려는 기우다

일본의 대표적인 경제지 『닛케이 신문』은 아시아 영문판에서 「베
트남 반부패 캠페인이 경제에 그림자를 드리우고 있다」는 기사를 통
해 '반부패 단속으로 아세안에서 가장 빠르게 성장하는 베트남 경
제를 위협하고 있다'며 현재 베트남 상황에 대해 우려를 표명하고
있다. 또한 미국의 아시아 정치 안보 전문가 재커리 아부자Zachary
Abuza 교수의 특별기고를 통해 '유능한 관리들의 숙청으로 외국인
투자자들이 불안해할 것이다.'라고 강조했다.

반면 유럽의 외교 전문지 『모던 디플러머시Modern Diplomacy』는
2022년 7월 「베트남의 반부패 전쟁」이라는 칼럼을 통해 베트남의
반부패 운동을 적극 옹호했다. 전 세계에서 경제가 가장 빠르게 성

장하는 베트남이지만 전 세계 부패 인식 지수는 180개국 중 77위 (2022년)로 해외 투자자들이 투자를 꺼릴 수밖에 없다고 지적했다. 그나마 쫑 서기장의 적극적인 반부패 전쟁 덕분에 10년 전에 117위에서 40계단 상승한 것이다.

필자는 베트남에 대한 일본의 과도한 걱정이 2016년의 베트남 정치 상황과 오롯이 겹쳐져 일본 언론 보도를 '호들갑'이라고 평하고 싶다. 당시 베트남 중앙은행 총재 출신의 응우옌 떤 중**Nguyen Tan Dung** 총리가 2연임을 끝내고 당서기장에 도전했다가 경선을 포기한 적이 있다. 적극적인 시장주의자이자 외국인 투자를 과감하게 끌어들이면서 규제를 대폭 완화했던 응우옌 떤 중 총리는 재임 시절 측근들의 끊임없는 부패 스캔들로 보수파들과 갈등을 빚고 있었다. 이에 퇴임하는 연임 총리가 자신의 정치적 어려움을 타개하기 위해 이례적으로 당서기장에 도전해서 나라가 발칵 뒤집혔다. 2016년 당시에도 일본을 중심으로 한 해외 언론들은 강경보수파가 서열 1위 당서기장 자리를 차지하고 친시장주의자 세력을 부패 사슬로 옭아맨다며 '베트남의 개혁개방 경제가 퇴보하고 베트남이 중국의 길을 가는 것이 아닌가.'라고 불안해하며 '베트남 경제가 불안하고 외국인 투자자들이 발길을 돌릴 것'이라며 우려의 보도를 했다.

그때와 마찬가지로 베트남은 12년째 강경보수주의자가 국가 권력 서열 1위 자리를 차지하고 있지만 해마다 최고의 경제 실적을 이루어냈으며 미국을 군사적으로 끌어들여 중국도 견제하고 4,000만 도스의 백신까지 지원받아 코로나 팬데믹의 대위기도 무사히 극복해 안정적으로 발전해오고 있다. 오늘도 베트남의 성장 기차는 좌우를 가리지 않고 달린다.

5

왜 베트남과의 관계가 중요한가

 2023년 3월 2일 보 반 트엉Vo Van Thoung 신임 베트남 국가주석이 취임하자 미국의 소리VOA, Voice Of America를 필두로 미국과 일본 언론들은 베트남이 친중 정권이 되어 해외 투자자들이 우려하고 있다고 연일 보도했다. 미국의 소리VOA는 1999년까지 미국 정부의 정책과 외교 방향을 홍보하던 미국해외정보국USIA 소속 미디어로 현재도 미국 정부 출연기관이다. 대외적으로는 독립된 편집권을 가진 언론이라고는 하지만 실상 미국의 소리VOA의 보도는 미국 정부와 같은 시각을 갖고 있다. 따라서 미국은 베트남 신임 주석을 친중파라 인식하고 베트남이 친중 정책으로 선회하는 것을 우려하고 있다고 볼 수 있다.

 과연 미국이 보 반 트엉 신임 베트남 국가주석에 대해 얼마나 알고 있는지가 의문이다. 트엉 주석은 베트남 공산당에서만 계속해서 일을 해왔기 때문에 대외 접촉이 상대적으로 적어 자국 내에서도 트엉 주석의 성향에 대해 아는 사람이 거의 없다. 세계 최고의 정보력을 갖춘 미국인데 설마 틀리겠는가 하고 생각할 수도 있다. 하지만 한국은 미국의 절대적 동맹관계이자 세계 8대 경제 규모를 갖추었고 세계 7위의 국방력을 갖춘 선진국이지만 미국 내에 한반도 전문가가 없다는 이야기는 항상 나온다. 미국 내 일본이나 중국 전문가들이 동아시아 전문가라는 직함으로 일본과 중국의 목소리를 바탕으로 한반도 정세를 판단해 한국은 번번이 손해를 보고 있다. 그래서 미국에 제대로 된 베트남 전문가가 있을까 의문이다.

누구의 편에도 서지 않는 외교를 원칙으로 한다

베트남에서 활동하는 우리나라 언론 특파원들이나 정계 사정을 잘 아는 사람들의 공통된 의견은 트엉 주석이 보수파일 수는 있으나 친중파는 절대 아니라는 것이다. 게다가 국가주석이 누가 되건 베트남 외교 정책의 근간인 '어느 누구의 편에 서지 않고' '모든 외교 활동은 국가를 위한 것이어야 한다'는 정책은 바뀌지 않을 것이 분명하다는 데 의견이 모인다. 2022년 10월 시진핑 국가주석의 3연임이 확정되자마자 베트남 권력 서열 1위인 응우옌 푸 쫑 서기장이 중국을 방문한 것은 최근 베트남과 미국이 정치, 경제, 군사 측면에서 급격히 가까워진 것에 불안을 느낀 중국을 다독이려는 정도로 이해하면 된다. 게다가 코로나 팬데믹으로 중국 국경이 차단돼 연간 50억 달러나 줄어든 농산물 중국 수출은 쫑 서기장 방문 직후 재개되었으며 베트남 동해(남중국해)에 치솟던 군사적 긴장감도 한풀 꺾였다. 베트남은 중국과 관계를 푸는 정도만으로도 자신들이 취할 이득은 다 챙겼다. 당연히 해야 할 외교를 한 것인데 이를 두고 친중이라 하는 건 무리이다.

이러한 베트남 내부 사정을 모른 채 외신 내용만으로 한국 언론과 일부 전문가들은 베트남이 친중 정부가 되었으니 한국 기업들은 중국에서 당한 일을 베트남에서 똑같이 당하지 말고 태국이나 인도네시아와 같은 새로운 곳으로 투자처를 옮겨야 한다는 섣부른 주장까지 하고 있다. 필자 역시 아세안에서 유독 베트남에 한국 기업과 자본이 지나치게 집중되어 있기 때문에 투자처를 다각화해야 한다는 취지에 대해서는 십분 동의한다. 하지만 아세안의 한류 발상지이자 지난 30년간 한국 기업들이 일구어놓은 친한국 시장인 베트남의 가치를 명확하게 알고 있어야 한다. 특히 일본의 영향력이 절대적인 아세안 시장 전체적인 상황을 알면 베트남이 우리 한국에 얼마나 소중한지 깨닫게 된다.

베트남의 소중한 가치가 무엇인지 명확히 알아야 한다

아세안 지역은 1960년대부터 일본 기업들이 집중적으로 투자하면서 일본의 전진기지가 된 지 오래이다. 이를 단적으로 보여주는 것이 아세안 주요 5개국의 자동차 시장 점유율이다. 일본 자동차들의 시장 점유율은 인도네시아 90.5퍼센트, 필리핀 80.3퍼센트, 태국 79.9퍼센트이다. 한국 자동차 비율은 10퍼센트 미만으로 인도네시아에서는 3퍼센트 수준인 데 반해 베트남에서는 현대기아자동차가 35.4퍼센트이다. 단일 자동차 브랜드로는 현대차가 1위 토요타를 바짝 쫓고 있다. 이처럼 베트남은 아세안에서 일본의 영향력이 한국보다 작은 유일한 곳이다.

일본은 아세안에 다양한 원조와 차관 제공을 통해 막대한 영향력을 행사하고 있다. 그중에서도 최근 베트남에 집중하고 있다. 베

아세안 주요 5개국 자동차 브랜드별 시장 점유율

(단위: %)

순위	인도네시아 (2021년)		필리핀 (2021년)		태국 (2021년)		싱가포르 (2021년)		베트남 (2022년)	
1	토요타	48.4	토요타	38.1	토요타	29.9	토요타	24.6	토요타	21.3
2	미쓰비시	11.8	미쓰비시	16.8	이수즈	15.8	혼다	16.1	현대	19.1
3	혼다	10.7	닛산	11.3	혼다	13.6	벤츠	12.2	기아	16.3
4	스즈키	6.8	포드	8.5	미쓰비시	8.6	BMW	11.5	미쓰비시	9.3
5	닛산	5.6	스즈키	7.2	닛산	6.0	마쯔다	7.1	마쯔다	8.4
6	이수즈	3.9	혼다	5.5	포드	3.9	미쓰비시	5.5	혼다	7.2
7	마쯔다	3.3	이수즈	5.0	마쯔다	3.5	현대	4.4	포드	6.7
8	현대	2.2	현대	3.1	스즈키	2.5	기아	4.1	스즈키	3.8
9	기아	0.8	기아	2.2	MG	2.3	닛산	3.6	이수즈	2.6
일본 점유비	90.5%		83.9%		79.9%		56.9%		52.6%	
한국 점유비	3.0%		5.3%		2% 미만		8.5%		35.4%	

(출처: 인도네시아 자동차산업협회, 태국자동차 연구소, 필리핀 자동차 제조 업체 회의소, 필리핀 자동차 수입 유통 협회, 싱가포르 육상 교통청, 베트남 자동차제조업 협회, 현대탄콩, 빈페스트)

트남의 수질 개선, 의료 및 재생에너지 지원, 인공위성 연구원 양성부터 제작·발사까지 다양한 분야를 지원하고 있다. 단편적인 예로 하노이 국제선 신공항 터미널에 577억 엔(5,800억 원)과 호찌민 지하철 1호선 공사에 1,688억 엔(1조 7,000억 원)을 지원한 것은 모두 일본 정부개발원조ODA의 자본이다. 한국과 일본의 정부개발원조 자본을 비교해보면 일본의 베트남에 대한 지원이 상당하다는 것을 알 수 있다. 일본이 2001년부터 2020년까지 20년간 일본국제협력단JICA(이하 자이카)를 통해 베트남에 투자한 금액은 누적 230억 달러(30조 원)로 연평균 11.5억 달러(1조 5,000억 원)를 지원했다. 이에 비해 같은 기간 우리나라는 한국국제협력단KOICA(이하 코이카)를 통해 23.2억 달러(약 3조 600억 원)를 지원해 연평균 1.16억 달러(약 1,500억 원)를 지원했다. 일본은 베트남에 한국의 10배를 지원하고 있다.

일본은 외교적으로도 베트남을 적극 공략한다. 스가 전 총리가 취임 후 첫 해외 순방지로 선택한 곳이 베트남이었고 현 기시다 후미오 총리의 첫 공식 회담 파트너 역시 베트남일 정도로 공을 들이고 있다. 이뿐만 아니라 인적자원 개발 장학금 프로그램**JDS**을 운영해 개발도상국의 24세에서 39세 젊은 공무원들을 선발해 왕복 항공권은 물론 일본 대학에서 석사 과정을 마칠 수 있는 등록금, 월 생활비, 기타 수당을 포함한 전액을 지원하고 있다. 아세안에서는 경제적으로 부유한 싱가포르와 브루나이를 제외한 8개국이 해당 장학 프로그램에 참여하고 있다. 베트남에는 2000년에 처음 도입된 이래 2023년까지 816명이 프로그램 혜택을 받았다. 이는 아세안의 젊은 엘리트 공무원들이 물가가 비싼 일본에서 돈 걱정 없이 공부할 수 있게 하고 선진 일본에 대해 우호적인 시각을 갖는 친일파로 양성하기 위함이다.

일본은 이런 장기적이고 치밀한 대규모 지원에도 불구하고 아세안에서 유일하게 베트남에서만 한국의 영향력이 강해 답답해한다. 이제는 이런 베트남을 한국의 아세안 거점 기지로 삼아 다른 아세안으로 확장 진출하는 전략을 짜야 한다. 미력하게나마 이 글을 통해 지난 30년간 한국 기업들과 정부 관계자들이 일구어 놓은 베트남 시장이 소중한 줄 알았으면 하는 바람이다.

6

러시아-우크라이나 누구의 편을 들까

VIETNAM

러시아의 우크라이나 침공에 따른 전 세계 정치, 외교, 경제에 끼치는 파급 효과에 대해 다양한 분석들이 쏟아져 나오고 있다. 그런데 이번 사태와 크게 관련이 없을 것 같은 베트남이 의외로 러시아와 우크라이나 전쟁의 소용돌이 한복판에 서 있다.

러시아와 우크라이나는 모두 베트남의 우방이다

러시아는 베트남의 절대적인 우방이다. 스웨덴의 스톡홀름국제평화연구소**SIPRI**에 따르면 2020년까지 지난 20년 동안 베트남은 탱크, 전투기, 잠수함 등 군사 장비의 80퍼센트 이상을 러시아에서 구입하고 있다. 흔히 월남전이라 부르는 2차 인도차이나반도 전쟁(1955~1975년) 당시 러시아는 미국과 전쟁을 치르고 있는 베트남에 경제적, 군사적 지원을 아끼지 않았다. 전쟁 중에도 베트남 군관, 기술자, 과학자 등 수많은 인재들이 러시아에서 유학을 했다. 그래서 현재 군, 정계, 재계, 학계 등 베트남을 움직이는 엘리트들 중 상당수가 러시아 유학파들이다. 당시 소비에트 연방의 일원이었던 우크라이나공화국 역시 베트남 유학생들을 받아 교육을 시키고 전쟁 물자를 지원해준 절대적인 우방 국가이다.

그래서 러시아 유학파 출신이면서 우크라이나와 인연이 있는 베트남 정재계 인사들이 상당수이다. 『포브스』가 뽑은 베트남 억만장자 7명 중 3명은 우크라이나에서 유학을 하거나 사업의 기틀을 닦은 사람들이다. 베트남의 대표적인 기업 빈그룹의 팜 녓 브엉 회장은 러시아 모스크바에서 유학하다가 우크라이나 하르키우(하리코프)에서 인스턴트 라면 사업으로 큰돈을 벌어 베트남으로 돌아와 지금의 빈그룹을 세웠다. 베트남 경제계의 막후 실력자이자 SK그룹이 투자해 한국에서도 많이들 알고 있는 식품 대기업 마산그룹의 응우엔 당 꽝 회장 역시 우크라이나 수도 키이우 대학 유학생이었다. 또한 베트남 항공 여행의 대중화를 이끈 비엣젯 항공의 여왕 응우엔 티 프엉 타오 회장도 우크라이나 유학생 출신이다. 이외에도 베트남 경제계의 거물들 중에는 우크라이나 유학생 출신들이 많다.

그런데 비극적이게도 베트남과 러시아가 전략적 동반자 관계 수립 20주년을 기념한 지 3개월 만에, 베트남이 우크라이나와의 수교 30주년을 기념한 지 2주 만에 러시아가 우크라이나를 침공한 것이다. 여기에서부터 베트남의 고민이 시작된다. 러시아가 큰집 사촌이라면 우크라이나는 작은집 사촌인데 둘의 싸움에 그 누구의 편도 들어줄 수 없기 때문이다. 2022년 3월 2일 유엔 총회에서 러시아의 우크라이나 침공을 비난하는 결의안에 베트남은 기권표를 던졌다. 다만 베트남 정부는 '관련 당사자들이 서로 자제하고 유엔 헌장과 국제 사회의 기본 원칙을 준수할 것을 촉구한다'는 정도의 중립적인 자세를 견지하고 있다.

우크라이나 시민을 자신과 동일시한다

러시아의 침공에 대해 비난하는 베트남 네티즌들은 우크라이나 시민들이 러시아군과 맞서 용감하게 싸우는 모습과 어린아이들이 전쟁의 공포 속에서 힘겹게 버티고 있는 광경에서 수십 년 동안 전쟁을 겪은 본인들의 모습을 투영하고 있다. 1975년 미국과의 전쟁이 끝나고 1979년 중국이 베트남을 침공했으니 40대 후반 이상 수천만 명의 베트남 국민들에게는 여전히 참혹한 전쟁의 기억이 생생하다.

특히나 베트남 거주 중국 화교들의 안전을 보호한다는 명분으로 1979년 베트남을 침공했던 중국의 논리가 우크라이나 돈바스 지역 거주 러시아인을 보호하기 위해 '특별 군사 작전'을 벌인다는 러시아의 논리와 같기 때문이다. 게다가 국경을 맞대고 있는 러시아가 우크라이나를 침공한 것처럼 현재 베트남 동해(남중국해)에서 영토 분쟁을 벌이고 있는 중국이 언제든지 베트남을 침공할 수 있기 때문에 '러시아=중국' '우크라이나=베트남'이라는 인식이 형성되어 러시아에 대한 베트남 사람들의 비난이 거세다. 러시아 침공에 대해 베트남 정부가 적극적으로 비난하지 않는 것은 미래 중국이 베트남을 침공할 명분을 주는 것이라는 극단적인 의견도 나온다.

줄타기의 달인 베트남의 외교력을 기대한다

베트남이 오래전부터 러시아와 가까이 지낸 것은 중국을 견제하기 위해서였다. 천 년 동안 중국의 지배를 받아 뼛속까지 반중 국가

평화 기원 바자회

2022년 3월 5일 주베트남 우크라이나 대사관에서 개최됐다.
(출처: 주베트남 우크라이나 대사관 페이스북)

인 베트남은 중국과 앙숙 관계인 러시아를 적극적으로 활용했다. 1969년 3월 소련군 300여 명, 중국군 1,000여 명이 사망하고 수천 명이 부상을 당한 소련과 중국의 국경 분쟁은 소련이 중국에 핵 공격을 통한 전면전까지 계획했을 정도로 심각한 상황이었다. 이때 중소 국경 분쟁에 대해 베트남이 소련을 지지하자 중국은 베트남을 눈엣가시처럼 여겼다. 이후 중국은 1978년 12월 미국과 관계 정상화를 선언하며 러시아와 베트남의 심기를 불편하게 했다. 중국은 미국과 수교를 맺자마자 1979년 2월 베트남을 침공했다.

그런데 아이러니하게도 베트남의 새로운 우방이 생겼는데 바로 미국이다. 미중 갈등이 고조되면서 미국의 베트남 끌어안기가 매우 적극적이다. 베트남 역시 베트남 동해(남중국해)에서 중국의 노골적인 영토 분쟁에 맞서기 위해 미국 항공모함을 베트남 다낭에 입항하게 하는 등 두 나라는 급속도로 가까워졌다. 대륙에서는 오래전부터 러시아가 중국을 견제해주고 이제 동해(남중국해)에서는 미국이 중국을 견제해주게 된 것이다.

미국은 베트남이 중국과 맞설 수 있도록 해안 순시선과 고속정을 무상으로 제공하고 있다. 게다가 코로나바이러스 확산으로 패닉에 빠진 베트남에 4,000만 도스의 코로나 백신을 공급해준 최우방국이 되었다. 경제적으로도 베트남의 최대 수출국은 미국으로 2022년 1,094억 달러(142조 원)를 수출했다. 게다가 베트남은 영국을 제치고 미국의 7번째 교역국이 되었으며 1,161억 달러의 흑자를 기록해 전 세계 3번째로 대미 흑자국이 되었다. 미중 갈등 속에 베트남이 중국을 대신할 생산기지가 되도록 전 세계에 적극 띄워준 것은 미국이었다. 또한 유럽연합EU과는 2019년 자유무역협정을 체결해 무역 규모가 급격히 늘어나고 있다. 그런데 미국과 유럽연합이 러시아와 첨예한 갈등을 빚고 있으니 베트남은 이러지도 저러지도 못하고 있다. 최악의 상황은 미국과 유럽의 경제 제재로 궁지에 몰린 러시아가 중국과 동맹관계를 유지하는 것인데 든든한 군사적 후원자인 러시아가 중국과 가까워지는 것은 베트남에 매우 불안한 일이다.

베트남은 오랜 우방끼리의 갈등에다 새로운 우방까지 가세한 복잡다단한 국제 정세 한가운데 빠져 잠 못 들고 있다. 그런데 한편으로 생각해보면 베트남만큼 러시아, 우크라이나, 미국 모두와 친밀한 관계인 나라도 없다. 복잡한 갈등의 실타래를 풀어줄 수 있는 나라가 베트남일 수도 있다. 어느 한쪽의 편에 서지 않으며 자국의 평화와 번영을 지켜온 줄타기의 달인 베트남의 외교력을 기대해본다.

7

동남아 국가들과의 관계를 알아야 한다

VIETNAM

    우리나라의 최대 흑자국이었던 중국으로의 수출이 어려워지면서 그 대체 지역으로서 아세안 국가들에 관한 관심이 커지고 있다. 하지만 큰 관심에 비해 아세안 각 국가 간의 문화적 특징이나 서로의 정치 외교적 역학 관계까지는 잘 모른다. 동남아 10개국을 '아세안'이라는 하나의 국가 연합체로 묶어서 바라보다 보니 서로 같은 언어를 사용한다고 오인까지도 한다. 인접 국가 간에는 수천 년간 치열하게 싸우며 영토를 복속하기도 하고 정치·경제적으로는 절대 동맹국이었다가 최근에는 중국의 일대일로 정책으로 사이가 멀어지기도 한다. 아세안은 크게 '대륙 아세안'과 '해양 아세안' 두 지역으로 나눌 수 있다.

- 대륙 아세안: 베트남, 캄보디아, 라오스, 태국, 미얀마(5개국)
- 해양 아세안: 인도네시아, 말레이시아, 싱가포르, 브루나이, 필리핀 (5개국)

아세안 지도

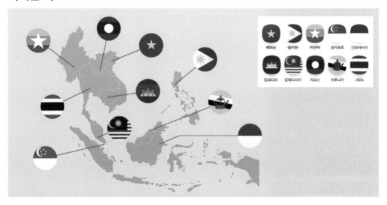

대륙 아세안 국가 지역에 대해서는 '인도차이나반도 5개국' 또는 '메콩강 5개국'이라고 부르기도 한다. 하지만 '인도차이나'라는 표현은 지금의 베트남, 캄보디아, 라오스 지역을 점령했던 프랑스가 중국과 인도 사이에 있는 어중간한 지역이라는 뜻으로 명명한 것이다. 최근에는 인도차이나반도 영역을 태국, 미얀마까지 포함하는데 현재 2억 5,000만 명의 인구가 살고 있는 지역에 상당히 굴욕스러운 지명이 아닐 수 없다. 한반도를 '차이나재팬'이라고 부르는 것과 다름없기 때문이다. 한편에서는 이 지역 5개국 모두를 관통해 흐르는 메콩강 이름을 따서 '메콩강 경제권'이라 부른다. 메콩강을 둘러싼 중국과의 깊은 갈등으로 메콩강 국가들이라는 표현이 전 세계적으로 자주 사용될 것으로 보인다.

미얀마, 라오스, 캄보디아는 태국의 바트 경제 3국이다

태국은 대륙 아세안 국가 중에서는 가장 큰 경제 규모를 자랑한다. 미얀마, 라오스, 캄보디아는 태국의 화폐인 바트Baht 경제권에 속한다. 이 3개국에서는 미국 달러와 함께 태국 바트화가 쉽게 통용된다. 태국을 중심으로 국경을 맞대고 있는 이 나라 국민은 소비재 유통 강국인 태국을 통해 다양한 물자를 보따리 무역 형태로 수입하기도 한다.

유엔 국제이주기구IOM, International Organization For Migration의 2022년 연간 보고서에 따르면 코로나 팬데믹 이전인 2019년 태국에는 300만여 명의 외국인 노동자가 등록되어 있었다. 그중 48퍼센트인 144만여 명이 미얀마 국적이며 34퍼센트인 102만여 명이 캄보디아인, 18퍼센트인 54만여 명이 라오스인이었다. 정식 등록되지 않은 불법 체류자까지 더하면 이들의 숫자는 배로 늘어난다. 정식으로 등록된 숫자만으로도 미얀마, 캄보디아, 라오스 전체 인구의 3~7퍼센트 규모를 차지하는 외국인 노동자들이 태국 바트화를 받고 그 돈을 자국으로 보내니 태국 바트 경제권이 형성될 수밖에 없다. 게다가 육로로 쉽게 국경을 오가는 이들은 태국에서 유통되는 제품들을 보따리 무역 형태로 물자가 부족한 자국에서 팔기도 한다.

아세안 소속도 아니고 바트 경제권도 아니긴 하지만 10만여 명의 방글라데시 노동자들이 태국에서 일하고 있다. 이들을 통해서 방글라데시로도 물건이 유통될 수 있다. 또한 태국 방콕에는 '소이 아랍 Soi Arab'이라고 불리는 중동 무슬림 거리가 있다. 중동 여행객들을 대상으로 한 숙박업소, 식당, 각종 상품을 판매하는 매장들이 밀집해 있다. 보따리 무역을 위해 다양한 중동 국적의 상인들이 태국으로 찾아온다. 그래서 태국 시장에서 한국 제품이 자리를 잘 잡으면 인근 미얀마, 라오스, 캄보디아는 물론 방글라데시와 멀리 중동까지 시장이 확장될 수 있다.

태국 내 국적별 외국인 노동자 비율

구분	미얀마	캄보디아	라오스
각국 인구수	5,380만 명	1,660만 명	745만 명
태국 등록 노동자	144만 명	102만 명	54만 명
자국 인구 대비 태국 근무 노동자 비율	2.7%	6.1%	7.2%

(출처: 태국 등록 노동자 수 IOM 2021 태국 연간 보고서)

캄보디아와 라오스는 베트남의 정치적 영향력 아래 있다

캄보디아, 라오스는 경제적으로는 태국과 밀접한 연관을 맺고 있지만 한편으로는 베트남의 정치적 영향 아래 있는 국가이기도 하다. 1978년 12월 베트남은 수백만 명의 캄보디아 국민을 학살한 킬링필드의 주범 폴 포트 정권을 무너뜨리고 친 베트남 정권을 수립했다. 39년째 장기 집권을 하고 있는 훈센 총리는 베트남에 의해 정권을 유지할 수 있었다. 베트남을 견제하려는 중국의 집요한 공략으로 최근 캄보디아는 중국 자본에 의해 경제가 좌지우지되고 있다. 그러나 여전히 무시할 수 없는 베트남의 영향력 아래에 있다.

라오스는 베트남이 미국과 전쟁하는 데 적극적으로 도와준 혈맹이다. 베트남은 라오스 공산당이 정권을 잡을 수 있게 핵심적인 도움을 줬다. 1987년 라오스와 태국의 국경 분쟁 당시 라오스가 태국에 밀리자 베트남군이 태국 국경을 공격하는 등 절대적인 우방 관계였다. 라오스 초대 공산당 서기장이자 국가수반이었던 까이선 폼위한은 베트남계 라오스인으로 오랫동안 정치·경제적으로 베트남에 의지하며 라오스를 이끌었다.

최근 라오스와 베트남과의 관계를 상징적으로 보여주는 것이

2021년 3월 베트남 건설부가 1억 1,100만 달러(1,450억 원)를 들여 기증한 라오스 국회의사당이다. 특이한 것은 라오스 국회의사당을 민간 건설업체가 아닌 베트남 11공병 사단이 건설했는데 '베트남과 라오스는 피를 나눈 전우'라는 것을 상징적으로 보여주기 위함으로 보인다.

캄보디아와 라오스의 수많은 것들이 베트남 영향력 아래 있음을 보여주는데 가장 상징적인 것은 주요 국가 인프라 사업의 베트남 지분이다. 캄보디아의 국적기 '앙코르 에어'와 라오스의 '라오 에어라인'의 지분 49퍼센트를 베트남 국영 항공사 베트남 항공이 보유하고 있다.* 또한 앞서 소개한 베트남의 군 통신사 비엣텔은 라오스와 캄보디아에서 각각 1위 통신 기업이다.

캄보디아와 라오스는 친중으로 돌아섰다

캄보디아와 라오스가 경제적으로는 태국의, 정치·군사적으로는 베트남의 영향을 받는 나라이지만 중국의 집요한 공략으로 캄보디아와 라오스가 친중 성향을 노골적으로 보이고 있다. 2000년대 후반 중국 경제가 성장하면서 캄보디아에 침투하기 시작하며 경제적 속국으로 전락하는 모양새다. 캄보디아의 대표적인 휴양지인 시아누크빌과 수도 프놈펜에 중국인들이 집중적으로 부동산을 사들이고 차이나타운을 형성하고 있다. 프놈펜을 중심으로 중국인 전용 카지노와 온라인 도박장들이 대거 들어섰다. 코로나 팬데믹 전에는 인구 220만 명의 프놈펜에 거주하고 있는 중국인 수가 30만 명을

---

* 코로나 팬데믹으로 경영이 악화된 베트남 항공은 2022년 5월 앙코르의 에어의 지분 35퍼센트를 매각해 2023년 기준 14퍼센트만 보유하고 있다.

넘어설 정도였다. 캄보디아를 찾아오는 중국인 관광객들은 캄보디아 중국 자본들이 운영하는 식당과 호텔 위주로 이용하고 위챗 페이와 같은 중국 결제 시스템으로 결제하다 보니 캄보디아 경제에 도움은 되지도 않고 있다. 중국이 캄보디아 인프라사업을 지원한다며 손을 내밀었지만 2022년 기준 캄보디아가 중국에 갚아야 하는 부채는 40억 달러(5조 3,380억 원)다. 캄보디아 전체 국내총생산의 23퍼센트이다.

라오스는 중국의 돈을 받으면서 심각한 부채에 빠져 있다. 2000년대 초반 중국 자본이 각종 라오스 인프라 사업에 투자하기 시작하면서 중국의 영향력이 커지기 시작했다. 중국은 라오스에 공을 들이면서 동남아시안게임을 위한 주 경기장과 루앙프라방 신공항 건설 자금도 지원했다. 2015년에는 라오스 최초의 인공위성 역시 중국의 지원 아래 중국 쓰촨성에서 발사되었다. 중국 지원 중 베트남과 라오스의 관계에 금이 가기 시작한 것은 라오스가 메콩강에 중국 자본으로 수력발전소를 짓기 시작하면서이다. 중국 티베트고원에서 발원해서 미얀마-태국-라오스-캄보디아-베트남으로 이어지는 메콩강은 담수 어업량 세계 1위인 인도차이나반도의 근원이다.

그런 메콩강에 라오스가 중국의 자금을 지원받아 수력 발전 댐을 건설하면서 베트남으로 흘러갈 메콩강 유입량이 더욱 줄어들게 되었다. 메콩강 최종 하류에 있는 베트남으로서는 강이 원활하게 흐르지 않으면 쌀농사에 거름이 되는 강물에 떠내려오는 퇴적 유기물이 부족해져 쌀 생산량에 치명적인 악영향을 받게 되고 메콩강에서의 어획량마저 줄어들게 된다.

중국 자본의 라오스 침투는 더욱 가속화된다. 2021년 12월 중국

운남성 쿤밍시에서 라오스 수도 비엔티안까지 1,035킬로미터 길이(부산-러시아 블라디보스토크까지의 거리)의 고속철도가 개통된 것이다. 세계은행은 중국-라오스 철도 개통으로 기존 물류비의 40~50퍼센트를 절감하고 중국 관광객이 연간 100만 명 이상 유입되어 내륙 소국인 라오스 경제가 성장할 기회라고 봤다. 하지만 이는 순진한 생각이다. 캄보디아에서처럼 중국 관광객들은 중국인이 운영하는 호텔과 식당을 이용하고 취약한 라오스 경제를 중국 자본이 빠르게 잠식할 것이다. 게다가 중국-라오스 철도 지분의 30퍼센트를 라오스가 가지고 있지만 이로 인해 발생한 부채 35억 달러(4조 7,000억 원)는 고스란히 남아 있다. 2022년 세계은행이 파악한 라오스의 중국 부채는 122억 달러(16조 억 원)인데 라오스 전체 국내총생산 188억 달러(20조 원)의 65퍼센트에 해당된다. 라오스의 중국 부채는 시간이 갈수록 증가하는 구조여서 라오스의 국가 부도는 시간문제이다. 베트남의 영향력으로부터 탈피하고 중국 도움으로 경제 성장을 해보고자 중국의 일대일로 정책에 참여했지만 여우 피하려다가 호랑이를 만난 셈이다.

아세안의 한국 베트남 VS 아세안의 일본 태국

태국과 베트남이 직접 부딪혀 싸운 적도 있지만 직접 국경을 맞대고 있는 나라가 아니기 때문에 특별히 사이가 좋거나 나쁘지는 않다. 역사적으로는 베트남이 공산화되자 태국이 베트남에 대한 경계심으로 미국을 지원해서 베트남전에 참전도 하고 베트남-캄보디아 전쟁 때 폴 포트를 지원하기도 했다. 1987~1988년에는 라오스와 태국의 국경 분쟁이 발생했다. 라오스군이 태국군에 밀리자

베트남군이 직접 끼어들어 싸우는 등의 갈등은 있었지만 큰 갈등
은 없다. 다만 최근 들어 가장 큰 경쟁은 양국이 축구 경기를 할 때
이다. 아세안에서 축구 국가대표 실력으로 그룹을 구분하면 다음과
같다.

- A그룹: 태국, 베트남
- B그룹: 말레이시아, 인도네시아
- C그룹: 미얀마, 라오스, 캄보디아, 브루나이, 필리핀, 싱가포르

과거 베트남은 B그룹으로 태국이 독보적인 아세안 축구 최강국
이었다. 하지만 박항서 감독 부임 이후 여러 대회에서 베트남이 태
국과 우승을 다투게 되면서 베트남과 태국은 축구 라이벌이 되었다.
필자는 태국과 베트남을 오갈 때마다 태국은 아세안의 일본, 베트
남은 아세안의 한국이라는 느낌을 지울 수가 없다. 태국의 1인당 국
민 소득이 2022년 7,496달러로 베트남의 4,110달러보다 2배 가
까이 높다. 태국은 아세안에서 가장 많은 일본 기업이 진출한 국가
이다. 태국의 대표적인 영자 신문인 『방콕포스트』의 2023년 3월
15일 자 보도에 따르면 아세안 전체에 일본 기업이 14,846개인데
태국에는 6,000여 개의 일본 기업이 진출해 있다고 한다. 게다가
일본은 태국의 중국, 미국에 이은 3번째 교역국이기도 하다.
일본의 태국에 대한 누적 투자액은 278억 달러(36조 원)로 전체
외국인 투자액의 25퍼센트를 차지하는 1위 투자 국가이다. 태국은
영국의 영향으로 자동차 운전석이 오른쪽에 있으며 색감이 강하면
서 다양하고 화려한 색상을 좋아하는데 이게 일본과 느낌이 비슷하

다. 창의적이고 재미난 태국 광고들이 전 세계 광고제에서 상을 휩쓸고 있다. 이 역시도 태국에 진출한 일본 기업들의 광고를 전담했던 일본 광고 기획사들의 영향이라는 분석도 있다.

반면 베트남에는 한국 기업이 9,000여 개이며 지난 33년간 베트남에 746억(98조 억 원) 달러를 투자하며 누적 투자액 1위 국가가 한국이다. 베트남의 3대 교역국은 중국, 미국, 그리고 한국으로 태국의 세 번째 교역국이 일본이듯 베트남의 세 번째 교역국은 한국이다. 태국과 베트남 사람들은 서로 딱히 라이벌 의식이 없는데 한국인인 필자가 아세안 한일전으로 끌고 가는지도 모르겠다.

해양 아세안 국가 그룹에서는 말레이시아와 인도네시아가 서로 해양 그룹에서의 원조 맹주 싸움을 벌이고 있다. 필리핀은 전혀 아시아적이지 않은 독특한 역사로 아세안에서 겉돌고 있다. 베트남, 라오스, 캄보디아 등 대륙 아세안 국가들은 대체로 자기 민족 영토를 되찾으며 나라를 건국했다면 해양 아세안 국가들은 유럽 국가들의 식민 영토를 토대로 나라가 생겨났다. 영국의 식민지였던 말레이 연방(나중에 말레이시아, 싱가포르, 브루나이 3개국으로 분리)과 네덜란드 식민지였던 인도네시아, 스페인-미국의 식민지였던 필리핀으로 신생 국가들이 형성되었다.

인도네시아와 말레이시아는 한 뿌리 국가다

지금의 인도네시아, 말레이시아, 브루나이, 필리핀 사람들은 수천 년 전 말레이반도에서 퍼져나간 사람들의 후손들이다. 2만 개가 넘는 섬에서 각자 흩어져 살던 이 지역은 서기 7세기경 수마트라섬을 기반으로 한 스리위자야 제국(671~1025년)이 지금의 말레이시아,

인도네시아 대부분을 지배하며 처음으로 통합했다. 그 이후에도 이 지역을 통치하던 왕국들에 의해 불교, 힌두교, 이슬람교가 유입되어 같은 종교에 의한 동질성은 더욱 견고해졌다. 게다가 전통적으로 먹는 음식도 비슷한 것들이 많고 무엇보다 말레이어와 인도네시아어는 같은 뿌리 언어라 양쪽 지역 사람들은 일상생활 언어는 편하게 주고받는다. 제2차 세계대전이 끝나고 민족의식이 움트면서 인종, 종교, 문화적, 역사적으로 공유하는 서로에 대한 통합 움직임도 제기되었다.

1950년 인도네시아 초대 대통령인 수카르노를 비롯한 인도네시아 민족주의자들은 말레이연방과 인도네시아 지역을 통합하는 '그레이터 인도네시아Greater Indonesia'를 주창했다. 또한 1962년 7월 마카파갈 필리핀 대통령은 말레이연방, 필리핀, 인도네시아 모두를 아우르는 마필린도Maphilindo(말레이-필리핀-인도네시아 앞 글자 조합)를 제안했다. 하지만 공산국가 지도자들과 가까이 지내는 인도네시아 수카르노를 경계하던 영국은 말레이시아 연방 자체적으로 독립할 것을 제안했다. 이에 반발한 수카르노는 소련과 중국의 지원을 받아 보르네오섬에서 말레이시아와 전투를 벌였다. 결국 영국연방의 일원으로서 호주, 뉴질랜드의 군사적 지원을 받은 말레이시아가 3년 6개월 만에 승리했다. 통합의 꿈은 사라졌지만 아세안ASEAN 창설 정신의 밑거름이 되었다.

인도네시아는 여전히 말레이시아가 과거 자신들의 한 역사였다고 생각하지만 말레이시아는 정부 사이트를 통해 자신들의 시조는 말레이반도에서 융성했던 말라카 왕국(1403~1511년)이라고 선을 긋고 있다. 한 뿌리에서 나고 자라 각자 살림을 하고 있는 말레이시

3개국 정상 회담 기념 우표

1965년 11월 25일 마필린도(말레이시아-필리핀-인도네시아) 3개국 정상 회담 기념 우표

아와 인도네시아는 애증의 관계로 같은 음식과 문화에 대해 서로 원조임을 내세우며 기싸움이 대단하다. 양국 간에 축구 국가대표팀 A매치 경기라도 있는 날에는 우리의 한일전 이상의 긴장감과 환호성이 터져 나온다.

말레이시아와 인도네시아에는 헌법에 명시된 말레이 토착민들을 위한 독특한 차별적인 특혜법이 있다. 예를 들면 말레이시아에서는 이슬람교도며 말레이 토착민의 경우에는 재정 상태와 상관없이 부동산을 구매할 때 7퍼센트 할인 혜택을 받을 수 있다. 또한 대학 입학 정원의 55퍼센트는 말레이 토착민에게 할당되어 있다. 이 때문에 좋은 성적에도 불구하고 대학 가기 어려운 중국계 말레이인들은 호주나 영국 대학으로 유학하러 간다. 비 토착민이 공무원이 되는 것 역시 어렵다. 공식적으로는 어느 인종이나 공무원이 될 수 있지만 실질적으로는 비 토착민 공무원을 찾아보기 쉽지 않다. 특히나 막강한 권력을 가진 군과 경찰 공무원직에서 비 토착민의 자리는 희박하다. 이는 보이지 않는 차별이 아닌 합법적인 차별이다.

1957년 말레이시아 정부는 말레이 토착민에 대한 특별한 권리를 헌법에 명시했다. 당시 말레이시아 초대 총리인 툰구 압둘 라만은 "중국인은 돈벌이에 관심이 있고 능력이 뛰어나지만 말레이인은 단순하고 쉽게 만족하는 민족이기 때문에 헌법의 보호 없이는 내 나라에서 떠돌이가 될 수 있다."라며 토착민 특혜법 취지를 설명했다. 시장 장악 능력이 뛰어난 중국인들에 치여 토착민들이 하층민으로 전락하는 것을 막기 위함이라는 것이다. 말레이연방에서 싱가포르가 쫓겨나듯 분리 독립하게 된 것도 중국인들을 견제하기 위함이었다. 말레이시아와 인도네시아 내부적으로는 이 법률을 대폭 완화하거나 철폐해야만 국가가 발전할 수 있다는 목소리가 나오고 있다. 하지만 손에 쥔 권리를 포기하는 것은 어려운 일이다.

필리핀은 아시아 속 서양이다

동아시아 전체를 통틀어서 가장 독특한 국가는 필리핀이다. 7,000여 개 섬으로 이루어져 지역 간 물리적인 교류가 쉽지 않다 보니 통합된 왕조도 없이 원시 부족 단위의 삶을 살아왔다. 필리핀 북부 지역은 중국인들이 해상 무역이나 해적질을 하며 살아가기도 했다. 그러다가 1521년 마젤란이 필리핀을 점령하면서 필리핀의 역사 기록이라는 것이 처음 시작된다. 필리핀이라는 나라 이름 역시 당시 스페인 국왕 펠리페 2세의 이름을 따서 지은 것이다. 수많은 섬에서 흩어져 살아오느라 함께 공유할 수 있는 문자나 문명이 없었다 보니 민족의식이라고는 존재하지 않았다. 그런 필리핀 사람들을 하나로 묶는 사건이 벌어지는데 바로 순수 스페인계와 혼혈인 간의 차별이었다.

스페인 식민 통치와 함께 시작된 가톨릭은 필리핀인들의 구심점이었다. 필리핀 가톨릭의 교구 수장은 스페인에서 파견해 온 순수

혈통 스페인 사제만이 할 수 있었다. 300여 년 동안 필리핀에서 나고 자란 스페인계, 중국계, 원주민, 그리고 그 혼혈들은 자신들의 근간인 신앙을 차별받게 되자 분노는 극에 달했다. 그 분노는 독립 전쟁으로까지 이어졌다. 필리핀인들은 스페인과 미국 전쟁 틈에 독립을 쟁취하나 했지만 미국의 식민 통치가 48년간 이어졌다.

　이러한 역사를 지닌 필리핀인들은 대체로 다른 아시아인들과 동질감을 못 느낀다. 필리핀인들의 역사 자체이자 근본이 425년 역사를 함께한 가톨릭의 스페인과 미국이기 때문이다. 여느 아시아 국가들은 과거 선조들의 찬란했던 역사를 그리워하며 자신의 나라를 되찾는 '광복 운동'을 했다면 필리핀인들은 자신을 친자식으로 인정하지 않은 스페인으로부터 '분리 독립 운동'을 한 것이기 때문이다. 이처럼 아세안 각국의 역사는 다채롭고 서로 간의 얽히고설킨 역사의 실타래가 복잡하다. 아세안에 관심을 두고 각국에 대해 좀 더 공부해 외교 문맹이 되지 않게 노력해야 할 때이다.

⭐ 당신이 몰랐던 베트남

경제 규모에 비해 환율이 안정적이다

필자가 베트남에 처음 왔을 때인 2011~2015년의 베트남 1년 정기예금 이율은 은행에 따라 14~17퍼센트 수준이었다. 게다가 해마다 베트남 동은 미국 달러 대비 10퍼센트 내외로 평가 절하되었다. 은행 환율과 사설 환전소 차이가 3~5퍼센트까지 차이나 베트남 사람들은 은행 정기예금은 거들떠보지도 않고 미국 달러와 금 사재기에 여념이 없었다. 하지만 2015년부터 베트남 경제가 안정화되면서 환율은 해마다 2~3퍼센트 상승하는 수준으로 안정되었다. 은행 금리 역시 6퍼센트대로 안정적으로 하락했다.

그런데 베트남 경제가 보기보다 탄탄하다는 것을 전 세계에 보여준 것은 2022년 미국 금리 인상으로 인한 달러 값이 급등했던 킹달러 현상 때였다. 환율이 급상승하던 4월과 환율 최고치를 찍었던 2022년 10월 24일 기준으로 한국, 일본, 아세안 주요국의 환율 추이를 비교해보면 의외로 경제 규모는 제일 작지만 환율이 가장 안정적인 나라는 베트남이었다. 2013년 베트남 외환보유고가 100억 달러(13조 원) 수준이었는데 2022년에는 10배인 980억 달러 수준으로 대폭 늘어난 것도 한 요인이다. 베트남 외환보유고가 든든해진 데는 수출액의 20퍼센트를 넘게 차지하는 삼성전자와 한국 기업들을 필두로 베트남에 진출한 외국 기업들의 힘이 컸다. 하지만 베트남은 정부가 환율을 거의 고정적으로 조정하고 있어서 꼭 베트남 경제가 튼실하기 때문만으로 볼 수는 없다. 보통 이렇게 정부가 개입하는 환율 정책을 미국은 가만두지 않는다.

한국, 일본, 아세안 주요국의 환율 추이

국가	2022년 4월 1일	2022년 10월 24일	환율 상승률
한국(원)	1,219.77	1,445	18.5%
일본(엔)	122.51	148.89	21.5%
베트남(동)	**22,839**	**24,855**	**8.8%**
태국(바트)	33.51	38.22	14.1%
말레이시아(링깃)	4.21	4.74	12.6%
필리핀(페소)	51.53	58.98	14.5%

그런데 몇 년 전부터 미국은 베트남을 '환율 관찰 대상국'으로 지정해서 눈여겨보고 있다고 말은 하지만 어떠한 제재를 가하지는 않고 있다. 다양한 이유가 있겠지만 속내는 베트남은 '미국과 친한' 또는 '미국편으로 끌어들여야 하는 나라'이기 때문일 것이다.

미국은 베트남을 '중국을 대체할 생산기지' 만들기에 열심이다. 또한 2022~2023년 미국 정부의 가장 큰 숙제는 '물가 잡기'이다. 중국을 통해 안정적으로 값싼 물건들을 수입해야 하는데 중국의 제로 코로나19 봉쇄 정책으로 공장들이 멈추어 공급망이 붕괴되면서 인플레이션이 촉발되었다. 중국을 온전히 대체할 수는 없지만 부분적으로나마 공급망을 대체할 수 있는 곳이 베트남이다. 그렇다 보니 베트남의 안정적인 경제 활동을 위해 미국이 베트남 정부의 환율 개입에 눈감아준 것으로 보인다.

3장

베트남 시장 잠재력

인트로

'경기도 다낭시'

베트남 여행을 즐기는 한국인이 많아지면서 생긴 말이다. 어느 순간 우리에게 베트남은 친숙하고 가까운 나라가 되었다. 국내에 베트남 커피를 판매하는 카페가 생기고 어지간한 쇼핑몰 푸드코트에 베트남 쌀국숫집 하나씩은 들어설 정도로 우리 삶에 베트남이 깊숙이 들어와 있다. 지난 5년간 박항서 감독이 베트남 축구 국가 대표팀을 맡으며 베트남 축구팀이 아세안 최강으로 올라서자 우리나라 사람들이 베트남 축구 경기를 생중계로 보며 응원하는 진풍경이 펼쳐지기도 했다. 말레이시아와 베트남의 축구 경기에서 우리 국민이 일방적으로 베트남만을 응원한다며 말레이시아 외교 당국자가 서운함을 내비칠 정도였다.

베트남에 진출한 한국 기업이 2023년 기준 9,500여 개, 베트남에서 살고 있는 한국 교민이 25만 명, 연간 400만 명이 넘는 한국인이 베트남을 찾고 있다. 하지만 아직 우리는 베트남에 대해서 잘

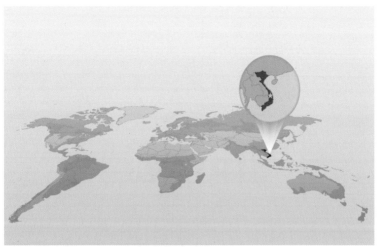

아직 우리는 베트남에 대해 잘 알지 못한다.

알지 못한다. 막연하게 동남아의 저개발 국가 중에서 한국 기업이 많이 진출해 있고 우리와 비슷한 정서를 지닌 나라 정도로만 아는 경우가 대부분이다. 하지만 베트남은 의외로 인도차이나반도의 패권 국가이자 아세안의 IT 강국이고 코로나바이러스 백신을 개발하고 인공위성을 쏘아 올리는 나라다.

아직 한국과 일본을 따라오기에는 많은 시간이 필요하지만 지난 10년 전을 생각하면 지금의 베트남은 상상할 수 없을 정도도 발전해 있다. 이웃 아세안 국가들은 10년 전과 지금이 큰 차이가 없고 국가 경제는 성장했어도 국민 개개인의 삶은 크게 변하지 않은 것과 비교해 베트남은 너무도 많은 것이 변했다. 이번 장에 소개하는 우리가 잘 모르는 베트남의 발전된 모습을 통해 앞으로 10년 후 어떻게 변해 있을지 상상해보시길 바란다.

1

아세안 최고의 게임 개발 국가이다

VIETNAM

　최근 베트남이 다양한 영역에서 매력적인 시장으로 각광받고 있는데 그중 게임 산업계가 베트남을 가장 주목하고 있다. 베트남은 2022년 기준 9,900만 명으로 2023년 공식적으로 인구 1억 돌파가 확실시되는 세계 15위 인구 대국이다. 유엔에서 발표한 중위 연령이 32.5세로 중국 38.4세, 한국 45세, 일본 48.4세와 비교해보면 확연히 젊은 나라이다. 젊은 인구가 많은 나라이다 보니 주요 게임 유저 연령대인 15~34세가 3,000만 명이 넘는다.

　베트남 모바일 게임 산업의 빠른 성장 배경에는 세계에서 10번째로 저렴한 모바일 요금제가 뒷받침하고 있다. 베트남의 1기가 바이트 모바일 데이터 평균 요금이 0.57달러로 세계 평균인 5.09달러의 9분의 1 수준이다. 또한 국가 전역에 깔린 4G 통신망이 베트남 모바일 게임을 확대하는 견인차 구실을 하고 있다. 이에 더해 베트남 통신사 비엣텔이 세계 6번째로 자체 제작한 5G 장비를 상용화하면서 하노이, 호찌민 등 주요 도시에 5G가 개통돼 빠른 통신 환경이

베트남 비엣텔 5G 연도별 통신망 구축 현황

(출처: 비엣텔 홈페이지)

필수인 게임업계는 베트남 시장에 더욱 눈독을 들이고 있다.

베트남 E스포츠 산업도 폭발적으로 성장하고 있는데 6,800만 명이 넘는 스마트폰 사용 인구가 든든한 그 뒷배경이다. '아레나 오브 발러 월드컵 2019Arena of Valor World Cup 2019' 토너먼트 경기가 개최되었을 때는 약 65만 명이 방송 생중계를 지켜봐 베트남 E스포츠의 인기를 증명했다. 베트남 게임업체 아포타Appota가 해마다 발간하는 『베트남 E스포츠 가이드북 2021Vietnam Esports Guidebook 2021』에 따르면 E스포츠 콘텐츠를 시청하거나 즐기는 베트남 인구가 2019년 1,500만 명에서 2020년 1,800만 명으로 20퍼센트 증가했다. 2021년은 코로나 팬데믹으로 파악이 아직 안 되고 있으나 도시 봉쇄에 따른 외출 금지로 인해 2021년 기준으로는 2,600만 명이 넘을 것으로 예측된다. 이에 게임 이용자와 콘텐츠 시청자까지 합하면 2022년 기준 3,500만 명이 넘을 것으로 추정된다.

게다가 E스포츠가 개인 간의 게임이 아닌 국가 간의 자존심이

걸린 국가 대항전이 되면서 그 인기는 더 치솟을 것으로 보인다. 2018년 인도네시아 자카르타 팔렘방 아시안게임, 2022년 베트남 하노이 동남아시안게임, 2023년 5월 캄보디아 프놈펜 동남아시안 게임까지 3연속 E스포츠 국가 대항전이 벌어지면서 젊은 층을 중심으로 전 국민 스포츠로 확대되는 분위기다.

베트남 정보통신부에 따르면 2020년 베트남 온라인 게임 시장은 5억 2,141만 달러(약 6,000억 원)로 2015년 대비 100퍼센트 초과 성장했다. 인구 2.7억 명의 인도네시아, 1억 명의 필리핀도 젊은 인구가 많아 게임 시장이 큰 폭으로 성장하고 있다. 하지만 베트남은 이들 국가와 확연히 다른 점이 있다. 베트남 게임 개발업체들이 세계 시장에서도 두각을 나타내며 게임 수출 강국으로서 면모를 보이고 있다는 점이다.

베트남, 전 세계의 게임 메이커로 떠오르다

베트남이 게임 메이커로서 전 세계에 처음 이름을 알린 것은 2014년 '제2의 앵그리버드'로 불린 스마트폰용 게임 「플래피 버드Flappy Bird」이다. 응우옌 하 동Nguyen Ha Dong이라는 29세의 베트남 개발자가 3일 만에 만들어 업로드한 것이 전 세계 100개 국가 앱스토어에서 다운로드 1위를 차지하고 하루 광고 수익으로만 5만 달러(약 6,500만 원) 넘게 벌어들였다. 하지만 개발 의도와 다르게 강한 중독성으로 사회적 문제가 되자 막대한 이익을 곧바로 포기하고 앱 스토어에서 게임을 내렸다. 플래피 버드는 그렇게 없어졌지만 억만 장자가 된 응우옌 하 동처럼 되고 싶은 젊은 개발자들이 나타나면서 베트남의 게임 르네상스가 시작되었다.

스마트폰용 게임 「플래피 버드」

앱 분석 업체인 앱 애니App Annie는 최근 펴낸 「베트남, 모바일 게임 시장의 기회Vietnam, A Mobile Market Of Opportunity」에서 호주, 뉴질랜드, 동남아시아ANZSEA 시장에서 가장 유망하고 가장 인기 있는 게임 제작업체 톱 10위 중 5개 업체를 보유한 베트남을 주목해야한다고 발표했다. 톱 5위 중 1, 2, 4위를 베트남 업체가 차지했다. 1위를 차지한 아마노츠Amanotes는 지금까지 개발한 게임들의 누적 다운로드가 10억 회가 넘는다. 아마노츠 공동창업자 응우옌 뚜언 끙Nguyen Tuan Cuong은 2020년 포브스Forbes가 선정하는 '베트남 각 분야에서 영향력 있는 30세 미만 30인'에 선정되었다. 단일

호주·뉴질랜드·아세안 지역 최고 게임 배급사 톱 10

순위	회사명	국적
1	**아마노츠Amanotes**	**베트남**
2	**원소프트OneSoft**	**베트남**
3	씨Sea	싱가포르
4	**게임잼Gamejam**	**베트남**
5	임페리얼 아츠Imperial Arts	호주
6	아이이씨IEC	호주
7	고키즈GoKids!	싱가포르
8	**비나게임즈VNG**	**베트남**
9	하프브릭Halfbrick	호주
10	**아라솔Arrasol**	**베트남**

(출처: 2021 앱 애니 탑 퍼블리셔 어워드)

기업이 아닌 게임 회사들의 국적 기준으로 베트남 게임은 2020년 전 세계에서 7번째로 많이 다운로드되었다. 전 세계 25개 게임이 다운로드될 때마다 베트남에서 개발한 게임이 1개씩 다운로드되고 있다.

베트남에서 한국 게임이 중국에 밀리고 있다

베트남 게임 시장의 중흥을 연 건 한국 게임이었다. 2000년대 초반 한국 기업 웹젠의 「뮤」가 큰 인기를 끌며 베트남 게임 시장을 부흥시켰고 2016년 「뮤 오리진」이 공전의 히트를 기록하며 베트남 최고 게임으로 자리잡았다. 이어 「오디션」「크로스 파이어」「배틀그라운드」 등 한국 게임이 크게 인기를 끌었다. 하지만 2005년부터 중국 게임이 물밀듯이 몰려들어 한국 게임은 시장 점유율을 빼앗겼다. 2022년 기준 베트남 모바일 게임 시장의 70퍼센트는 중국 게임이 장악하고 있다. 한류 원조 국가인 베트남에서 유독 한국 게임이 밀려난 이유는 무엇일까?

독일 시장조사기관 스태티스타Statista의 베트남 모바일 OS 시장 점유율 조사에 따르면 안드로이드가 62.7퍼센트를 차지하는데 상대적으로 20~30만 원 내외의 중국산 저가 보급형 스마트폰을 사용하는 사람들이 많은 것으로 나타났다. 중국 모바일 게임은 이 틈을 비집고 저가 스마트폰에 적합한 저사양 게임으로 유저들을 붙잡았다. 한국 게임의 서양인 캐릭터 일색에 대한 지적도 나온다. 한 베트남 업계 관계자는 필자와의 인터뷰에서 MMORPG의 경우 한국 캐릭터들은 영어 이름이 대부분이라 베트남 유저들이 꺼려 한다는 것을 지적했다. 이에 반해 중국 게임은 『삼국지』『서유기』『천용팔부』 같은 유명 소설을 바탕으로 한 캐릭터들이 등장하다 보니 베트남 사람들이 캐릭터에 친숙하다. 한마디로 말하면 캐릭터의 이름이 '로빈 후드'이면 누구나 캐릭터의 특징을 알 수 있지만 '로빈'이라는 이름으로는 캐릭터를 알 수 없다는 것이다.

한국 게임업체들이 베트남에서 라이선스 취득에 어려움을 호소하는 경우가 많다. 베트남 공영방송사의 자회사이자 메이저 게임 유통업체인 VTC게임의 담당자에게 문의해보았다. '어느 나라 업체이건 베트남은 게임 라이선스 취득이 어려운데 중국 업체가 가장 어려움을 겪는다. 베트남과 영토 분쟁 중인 해역에 중국이 임의로 그어놓은 구단선이 그려진 중국 지도가 게임 안에 많이 숨어 있어 중국 게임을 검사할 때 몇 배 더 엄격하게 한다'는 것이다. 제일 까다롭게 심사되는 중국 업체가 높은 시장 점유율을 차지하는 데 할 말이 없다.

베트남 경제 성장과 더불어 게임 시장 역시 빠르게 성장하고 있다. 단순 소비 시장이 아니라 게임 메이커 국가로서 베트남 게임업체들과 중국 기업들과의 치열한 경쟁으로 성장 가속도는 더욱 빨라질 것으로 보인다. 한국 게임업체들이 인내심을 가지고 베트남 시장을 지속적으로 공략하기를 바란다.

2

현금 없는 사회로 빠르게 가고 있다

VIETNAM

필자가 베트남에 처음 왔던 2011년에만 해도 전자제품 전문 판매점에는 현금 뭉치를 들고 와서 TV나 냉장고를 구매하는 사람들이 자신의 순서를 기다리느라 계산대에 긴 줄이 늘어져 있었다. 전자제품이라 우리 돈 100만 원이 넘는 것들도 많은데 한국 돈으로 5,000원가량 하는 10만 동짜리 지폐를 들고 오는 사람들이 대부분이라 돈을 세는 데 시간이 오래 걸렸다. 계산대 옆에는 은행에서나 볼 법한 돈 세는 기계가 여러 대 놓여 있어서 참 낯설고 당혹스러운 광경이었다. 수천만 원 하는 자동차를 구매할 때는 현금 상자 몇 박스를 들고 온다는 말을 들었는데 신용카드가 보편화되지 않은 베트남 경제의 '웃픈' 현실이었다.

'현금 없는 사회'로 급격히 변화하고 있다

당시만 하더라도 베트남 전체 인구 중 은행 계좌를 소유한 사람이 20퍼센트가 채 안 되었다. 한국에서는 당연했던 모바일 뱅킹은커녕

현금 없는 사회 포스터 이미지

(출처: 비엣뱅크)

타 은행 간 계좌 이체는 1~2일이 지나야 상대방 계좌에 입금 되었다. 그나마 계좌 이체 기간 중 주말이나 공휴일이 끼어 있으면 입금 확인이 3~4일 더 늦어지던 상황이었다. 불과 10년 전의 일이다.

그러던 베트남이 천지개벽해 '현금 없는 사회Cashless Society'를 천명하고 전체 결제 금액에서 현금 사용률을 2025년까지 8퍼센트 미만으로 낮추는 것을 목표로 하고 있다. 2016년부터 2020년까지 '현금 없는 결제를 위한 개발 계획'을 5년간 시행해야 할 국가 정책으로 수립하고 슈퍼마켓, 쇼핑몰 같은 유통 채널에는 100퍼센트 신용카드 결제가 가능하게 포스POS 설치를 독려하고 있다. 그뿐만 아니라 학교의 등록금, 병원비를 카드 리더기, QR코드 스캐너, 전자결제 모바일 앱 같은 비현금 결제 수단으로 납부할 수 있게 하고 있다. 이외에도 전기, 수도, 통신 서비스업체 등의 70퍼센트는 신용카드, 온라인 뱅킹, 전자지갑 결제와 같은 현금이 아닌 결제 수단으

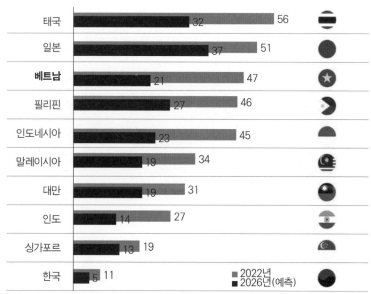

아태 지역 주요 국가 포스 거래 시 현금 비중

(단위: %)

국가	2022년	2026년(예측)
태국	32	56
일본	37	51
베트남	21	47
필리핀	27	46
인도네시아	23	45
말레이시아	19	34
대만	19	31
인도	14	27
싱가포르	13	19
한국	5	11

(출처: FIS, 2023년 3월)

로 지불할 수 있게 했다.

비현금 결제를 하려면 은행 계좌 보유가 필수인데 베트남 국민의 은행 계좌 보유율도 높아지고 있다. 2014년 15세 이상 국민 30.8퍼센트만이 보유하던 은행 계좌가 2020년 70퍼센트까지 높아졌다. 베트남 정부는 계좌 보유율을 2025년 80퍼센트, 2030년 90퍼센트까지 높이는 것을 목표로 하고 각 은행은 지방 마을 단위까지 금융 거래를 할 수 있도록 현금자동인출기를 늘리고 금융 서비스를 제공할 수 있는 지점을 개설하게 하고 있다. 한국에서는 당연하고 오래전부터 시행하던 것이지만 베트남은 몇 년 사이에 급박하게 도입·시행하고 있다. 베트남 사람들은 한국인 못지않게 새로운 환경에 빠르게 적응하고 있어 베트남의 현금 없는 사회는 혼란 없이 빠르게 현실화되고 있다.

베트남 정부가 이렇게 급박하게 변화를 주도하며 밀어붙이는 자신감에는 97퍼센트(15~64세)에 달하는 스마트폰 보급률이 뒷받침하고 있다. 통신 기반 시설이 발달해 스마트폰 사용하기가 좋은 베트남은 높은 스마트폰 사용 환경을 바탕으로 전자결제 산업이 급팽창하고 있다. 이 분야에서 가장 두드러진 업체는 베트남 핀테크 기업으로는 최초이자 스타트업으로는 두 번째 유니콘 기업으로 선정된 VN페이다. 이 회사는 2019년 소프트뱅크 손정의 회장의 비전 펀드와 싱가포르 국부 펀드인 GIC로부터 3억 달러를 유치했다. 베트남 주요 40개 은행의 계좌만 있으면 별도 가입 없이 QR코드 기반 결제 시스템을 사용할 수 있는 VN페이는 2만 개 이상의 기업들을 파트너로 하고 있다. VN페이 앱으로 결제, 이체, 송금, 공과금 납부, 버스표 구입 등을 할 수 있으며 월평균 1,500만 명 이상이 이용하고 있다.

VN페이처럼 자신이 소유한 은행 계좌에서 돈이 빠져나가는 것과 달리 필요한 금액만큼 충전해서 사용하는 전자지갑 모모Momo가 젊은 층에게 큰 인기를 얻으며 2022년 기준 3,100만 명의 사용자를 확보해 전자결제 시장에서 1위를 달리고 있다. 모모는 사용자의 전화번호만 알면 수수료 없이 간편하게 송금할 수 있어 식사를 같이하고 더치페이하는 것이 당연한 MZ세대들에게 인기다. 모모는 골드만삭스와 스탠다드차타드은행으로부터 3,380만 달러를 투자받았고 2019년에는 미국 사모펀드로부터 1억 달러를 투자받았다. 2021년에는 1월 실리콘밸리펀드로부터 추가 1억 달러를 투자

베트남 전자결제 업체 리스트

(출처: Fintech in ASEAN 2021)

받았다. 2021년 12월에는 일본계 미즈호은행으로부터 2억 달러를 추가 투자받아 베트남의 4번째 유니콘이 되었다. 업계 관계자들은 모모의 기업 가치를 20억 달러 이상으로 평가하고 있다.

베트남 정부가 전자결제 시장을 이끌고 있다

시장조사기관의 보고서들을 종합해보면 베트남 전자결제 시장은 2017년 44억 달러, 2019년 85억 달러, 2021년 150억 달러, 2025년에는 250억 달러로 폭발적 성장이 예상되고 있다. 베트남 전자결제 시장의 급팽창은 베트남 정부의 적극적이고 주도적인 지원에 있다. 베트남 정부는 6월 16일을 '현금 없는 날No Cash Day'로 정하고 비현금 결제 수단에 추가 할인을 적극적으로 장려하고 있

베트남 결제 업체들

편의점에서 페이 결제 시 다양한 할인 혜택을 제공하고 있다.

다. 베트남 정부의 주도적인 현금 없는 사회 정책의 목적은 통계에
잡히지 않는 지하 경제 양성화와 세수 확보이다. 베트남 온오프라
인 전체 소매시장에서 현금 결제 비율은 80퍼센트가 넘는 것으로
추산된다. 베트남 전자상거래 협회VECOM가 2019년에 발간한 「베
트남 전자상거래 지수Vietnam E-Business Index」 보고서에 따르면 온
라인 쇼핑몰에서조차 결제 금액의 70퍼센트가 '배달 후 지불COD,
Cash On Delivery' 서비스를 통해 배송 기사에게 물건을 인도받으면
서 현금으로 지불되고 있다. 통계에 잡히지 않고 세금이 걷히지 않
는 현금 거래를 최대한 줄이기 위해 베트남 정부가 의욕적으로 전
자결제 사업을 지원할 수밖에 없는 이유이다.

　베트남 전자결제 시장에 2022년 기준 38개 업체가 뛰어들었고
한국 기업도 베트남 우체국 산하 기업의 결제 회사를 인수해서 사
업을 전개하고 있다. 아직까지 현금 사용률은 높지만 젊은 층의 전

베트남 정부의 주도적인 현금 없는 사회 정책의 목적은 통계에 잡히지 않는 지하 경제 양성화와 세수 확보이다..

자결제 사용률이 높아지는데다 베트남 정부가 국가 정책으로 지원하는 사업이라 향후 전망은 좋다. 다만 아직까지는 누구도 웃지 못하고 큰 적자만 기록하고 있다. 아무래도 고객 확보를 위해 전자결제 시 추가 할인과 같은 대대적인 프로모션을 전개하고 있어 누가더 많은 자본으로 오래 버틸 수 있는지 치킨 게임을 벌이고 있다.

업계 1위인 모모는 2019년 매출이 4조 2,300억 동(약 2,100억원)으로 2018년 대비 2배 성장했지만 손실 역시 2배 증가한 8,500억 동(430억 원)을 기록했다. 1위를 다투는 VN페이도 비슷한 수준으로 알려져 있다. 베트남 전자결제 시장은 당분간 할인 프로모션홍수 속에서 소비자들만 즐거워질 것으로 보인다. 수많은 전자결제업체들 간의 인수 합병은 더욱 잦아질 것이고 치열한 경쟁 속에 베트남 정부가 원하는 현금 없는 사회가 성큼 더 빠르게 다가올 것으로 보인다.

하지만 이렇게 치열한 치킨 게임 속 베트남 전자결제 시장에 수많은 해외 투자기관들이 수백억 원에서 수천억 원을 투자하는 이유는 무엇일까? 현재 모모는 2021년 가입자가 3,100만 명이며 50여 개의 은행과 금융기관, 보험사들과 협력을 맺고 있다. 머지않아 모바일을 통한 펀드 가입, 소액 대출, 보험 가입 등 새로운 금융 상품을 출시하며 본격적인 수익을 낼 것으로 보인다. 실제로 2020년 코로나19 확산으로 비대면 활동이 증가하고 저임금을 받는 젊은 층의 수입이 급감해 소비가 줄어들자 500만 동(25만 원)을 대출해주는 '선구매 후지불BNPL, Buy No Play Later' 서비스를 한시적으로 선보이며 자신들의 사업 확장 가능성을 성공적으로 증명해 보였다. 모모 핵심 관계자에 따르면 조만간 베트남을 방문하는 외국인 관광객들이 환전할 필요 없이 모모를 사용할 수 있게 서비스를 준비 중인 것으로 알려져 있다. 사업 확장성은 더욱 커질 것으로 보인다.

신용카드 사용에 크게 불편함을 못 느끼는 한국에서는 이런 전자결제 시장의 확장성에 대해 의아해할 수 있다. 하지만 소득 수준이 아직 높지 않은 아세안 지역에서 일반 서민들이 신용카드 한 장을 발급받으려면 소득 증명, 근로계약서, 급여통장 증명 등 온갖 재정 보증 서류를 구비하고 은행을 방문해 창구에서 기다리고 신청 서류를 작성하는 데 1~2시간 이상 소요되니 고개를 절레절레 흔들게 된다. 특히 서류 준비가 어려운 젊은층에게는 전자결제 방식이 더 편리하고 매력적으로 다가온다. 그래도 와닿지 않는 독자가 있다면 이미 10년 전부터 중국이 신용카드 사용을 건너뛰고 전자결제 시장의 최고 선진국이 되었다는 사실을 상기하면 이해가 쉬울 것이다.

3

IT 개발자들의 몸값이 비싸디비싸다

VIETNAM

 전 세계적인 코로나19 확산으로 비대면이 상시화되고 정보통신기술ICT 개발자 수요가 급증하면서 어느 나라에서나 IT 개발자가 부족하다. 옷과 신발을 만들어 돈을 벌다가 어느새 세계 2위의 IT 아웃소싱 국가가 된 베트남 역시도 IT 개발자가 부족해지기 시작한 것은 코로나19가 발발하기 이전 일이다. 저렴한 인건비에 비해 능력이 뛰어난 베트남 IT 개발자들 덕분에 한국 기업들은 물론이고 해외 업체들도 IT 아웃소싱 시장으로서 베트남에 관심이 지대하다. 특히 일본 기업들이 베트남 IT 개발자들을 집중적으로 고용하고 있다. 일본무역진흥기구JETRO에 따르면 2019년 일본에서 고용된 외국인 IT 개발자들의 국적 순위에서 베트남이 시장 점유율 21퍼센트를 차지하며 중국을 제치고 인도에 이어 2위에 올라섰다.
 미국 실리콘밸리에서도 베트남계 IT 전문 인력의 비중이 늘어나고 있는데 미국 거주 아시아인을 위한 언론인『아시안 아메리칸 뉴스AsAmNews』가 미국 통계청 자료를 인용해 보도한 '학사학위 이상

코리아 IT 스쿨

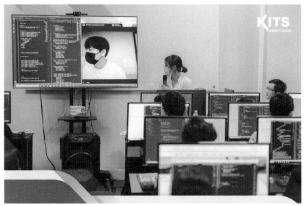

한국 정보통신산업진흥원은 코리아 IT 스쿨을 열고 소프트웨어 개
발에 필요한 교육 사업을 지원하고 있다.
(출처: 코리아 IT 스쿨)

의 해외 출신 지역별 실리콘밸리 기술직' 현황을 보면 인도 출신이
26퍼센트로 1위이고, 그 뒤로 중국 출신이 14퍼센트로 2위이다. 2위
와의 격차가 크긴 하지만 베트남계와 대만계가 3퍼센트 비중으로
공동 3위이다. 한국은 4위를 차지했다. 2017년도 자료이니 트럼프
집권 기간 미중 무역 갈등으로 중국계 개발자들이 미국을 많이 떠
나고 한국과 베트남계 IT 전문 인력들이 그 빈자리를 채워 비중은
더욱 높아졌을 것으로 보인다.

베트남 현지에서 IT 개발자를 확보하려는 외국 기업들의 더 적극
적인 행보도 눈에 띈다. 2019년 인도 3대 IT업체이자 세계 5대 IT
아웃소싱 기업인 힌두스탄 컴퓨터스가 베트남에 6억 5,000만 달러
(약 8,450억 원)를 투자하고 2025년까지 1만 명의 IT 개발자를 채용
하겠다며 IT센터 건립에 나섰다. 한국 기업들도 베트남 IT 인재 확

베트남 IT 개발자 연차별 비중

구분	비중(%)
1년 차 미만	24.7
2~3년 차	27.4
4~5년 차	17.6
6~7년 차	9.9
8~9년 차	5.6
10~11년 차	7.8
12~15년 차	4.1
16년 차 이상	2.9

(출처: 톱데브 「베트남 마켓 리포트 2022」)

보에 가세했다. 네이버는 2020년 7월에 베트남의 카이스트라 불리는 하노이 공과대학과, 8월에는 정보통신부 산하 우정통신 기술대학과 연달아 IT 인재 양성 산학 협력을 체결하며 우수 인력 확보에 노력하고 있다. 한국 정부도 적극 지원하고 있는데 정보통신산업진흥원NIPA은 2019년에는 호찌민에, 2020년에는 하노이에 삼성과 함께 코리아 IT 스쿨KITS을 열고 소프트웨어 개발에 필요한 교육 사업을 지원하고 인력 양성에 나섰다.

베트남에서 IT 관련 구인·구직 정보를 제공하며 매년 베트남 IT 업계 현황을 발표하는 톱데브TopDev의 2022 보고서에 따르면 2022년 베트남에는 40만여 명의 IT 개발자가 있고 매년 5만 명의 IT 관련 전공자들이 배출되고 있다고 한다. 지난 5년간 베트남 IT 인력 전문 채용 업체를 통한 구직 기준으로 살펴보면 2015년 1만 2,000여 명이 채용됐다. 그 후 매년 채용 증가세 50퍼센트 내외로 성장하더니 2019년에는 6만 3,000여 명이 채용되고 있어 인력 수급이 부족한 상황이다. 베트남 IT 인력 수요는 갈수록 폭증하고 있다. 2020년 9만 3,689명, 2021년 12만 8,785명, 2022년 17만 5,370명의 IT 인력이 채용되었다.

톱데브 2022 보고서는 2023년에는 23만여 명, 2024년에는 29만여 명의 인력이 필요할 것으로 전망했다. 이처럼 해외 기업들의 아웃소싱을 위한 인력 수요뿐만 아니라 베트남 국가 차원에서 정보통신기술 산업을 국가 혁신 사업으로 선정하고 대대적인 지원을 하고 있어 IT 전문 인력이 한없이 부족한 상황이다. 주요 중점 사업은 핀테크, 스마트시티, 5G 이동통신이다. 특히 베트남 정부는 2020년까지 비현금 사용률을 90퍼센트까지 끌어올려서 현금 없는 사회를 만들겠다고 천명했던 핀테크, 전자결제 사업 활성화를 2025년까지 연장하며 그 목표를 이어가고 있다. 세계 16위 통신사이자 베트남 국방부가 운영하는 비엣텔은 베트남 5G 네크워크 구축을 끝내고 인도, 미얀마, 라오스 등 해외 5G 네크워크 구축에 한창이다.

여기에 더해 사회가 빠르게 발전하고 보험업과 금융업이 폭발적으로 성장하면서 금융 보안, 데이터베이스 등 다양한 솔루션에 대한 IT 전문 인력 수요가 시급한 데다 젊은 IT 인재들의 창업 열풍에 따른 스타트업 수요까지 더해져 IT 전문 인력 구하기는 하늘의 별따기이다. 이에 베트남에 진출한 한국 IT 기업들도 인력 수급에 어려움을 겪고 있다. 근무한 지 1년도 안 된 개발자가 이직하기 위해 퇴사하는 일이 다반사이다. 베트남 호찌민에서 앱 개발을 하는 한국 업체 대표에 따르면 개발자 채용 면접을 진행하면 10명 중에 1~2명만이 참석한다고 한다. 그 이유를 확인해보면 면접을 기다리는 사이에 더 좋은 조건으로 다른 회사에 채용되었다고 할 정도이다.

베트남 IT 개발자 경력별 급여 현황

구분	월 급여(원화 환산)
2년 미만 신입	45만~75만 원
2~4년 차	70만~155만 원
4년 차 이상	115만~200만 원
팀장급	215만~320만 원
임원급	360만 원 이상

(출처: 톱데브 「베트남 마켓 리포트 2022」)

　몇 년 전 한국 월급쟁이들의 부러움을 샀던 한국 IT 개발자들의 연봉만큼은 아니지만 베트남에서도 IT 개발자들의 인건비가 천정부지로 치솟고 있다. 베트남 도시 근로자들의 평균 급여가 324달러(42만 원)가량이다. 이는 신입 IT 개발자들의 급여와 비슷하다. 4~5년 차급 IT 개발자 급여가 1,000~1,200달러(130만~150만 원)로 이는 일반 소비업체나 제조업체에서는 10년 차 이상 매니저 직급 중에서도 드물게 받는 높은 급여이다.

　IT 개발자들의 높은 급여만큼이나 눈여겨볼 부분은 베트남 전체 IT 개발자 중 3년 차 미만이 53.6퍼센트로 절반이 넘고 7년 차 이하까지 범위를 넓히면 79.4퍼센트인데 나이로는 30세 미만의 MZ세대라는 점이다. 베트남 급여 생활자들과 비교했을 때 상대적으로 소득이 높은 젊은 IT 개발자들이 베트남 사회를 어떻게 변화시킬지가 관건이다. 아직 결혼도 하지 않아 자녀 교육비를 신경 쓸 필요도 없고 본인의 취향이 분명한 세대라 해외여행과 원하는 품목에 돈을 아낌없이 쓰기 때문이다. 또한 본인 역량 개발을 위해 영어 공부를 하며 미국 실리콘밸리 진출을 꿈꾸는 이들도 많다. 젊고 패기 넘치는 베트남 IT 전문가들이 베트남 미래를 얼마나 변화시킬지 기대된다.

4

한국 IT 기술에 베트남 미래가 달렸다

VIETNAM

2022년 12월 한국-베트남 수교 30주년에 양국이 한층 더 가까워지고 진정한 파트너 관계로 나아가기 위해 '포괄적 전략적 동반자 관계'를 수립했다. 포괄적 전략적 동반자 관계는 국가 간 최상위급 외교 관계로서 중국, 러시아, 인도에 이어 한국은 베트남의 4번째 체결 국가가 되었다. 2022년 베트남은 미국, 중국, 일본에 이어 한국의 4대 교역국이자 약 9,500여 개의 크고 작은 한국 기업들이 진출해 있는 한국 기업의 핵심 해외 시장이다.

지난 30년간 외국인들의 베트남 누적 투자금액 기준으로 한국이 1위 투자국이다. 일본과 중국이 아세안 각국에서 강한 영향력을 펼치고 있음에도 베트남에서만큼은 한국의 영향력이 상당하다. 또한 25만여 명의 한국인들이 베트남에 거주하고 있고 한국에는 20만여 명의 베트남인들이 살고 있을 정도로 한국과 베트남은 단순한 사돈 관계를 넘어선 의미 있는 존재가 되었다. 이렇게 알게 모르게 가까운 베트남과 한국이 향후 새로운 30년 역사를 만들어가기 위

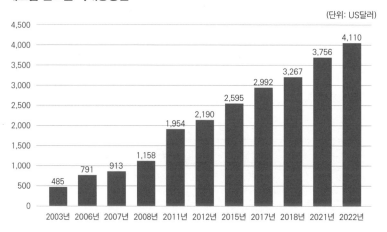

베트남 연도별 국내총생산

(단위: US달러)

2003년	485
2006년	791
2007년	913
2008년	1,158
2011년	1,954
2012년	2,190
2015년	2,595
2017년	2,992
2018년	3,267
2021년	3,756
2022년	4,110

해서는 서로가 원하는 바를 명확히 알고 서로 가려운 곳을 긁어주어야 한다.

국제통화기금**IMF**은 2022년 4월 발간한 「세계 경제 전망 보고서 **World Economic Outlook**」를 통해 베트남이 2023년부터 2027년까지 연평균 6.96퍼센트 성장률로 아세안에서 가장 높은 경제 발전을 할 것으로 예측했다. 또한 2027년에는 베트남의 명목 국내총생산이 6,900억 달러로 태국과 어깨를 나란히 하고 2028년에는 태국을 따라잡아 아세안 2위의 경제 국가가 될 것으로 전망했다. 이러한 전망에는 베트남 정부의 의욕적인 국가 발전 계획이 한몫하고 있다.

베트남 정부는 2035년까지 빈곤율은 1퍼센트 이하로 낮추고 중산층 비율은 50퍼센트까지 끌어올려 1인당 국내총생산 1만 달러의 중진국 진입을 목표로 하고 있다. 그러나 세계은행**WB** 기준 2022년 1인당 국내총생산이 4,110달러에 불과한 베트남이 2035

연도별 베트남 IT 인력 수요 현황

연도	신규 구인수(명)	증가율(%)
2016	18,230	45.3
2017	26,850	47.3
2018	40,275	50.0
2019	62,829	56.0
2020	93,689	49.1
2021	128,785	37.5
2022	175,370	36.2
2023	229,345	30.8
2024	290,356	26.6

(출처: 톱데브 「베트남 마켓 리포트 2022」)

년까지 2.5배나 성장하려면 그간의 성장을 견인해온 저임금 노동 집약 산업으로는 상상도 할 수 없는 일이다. 그렇기 때문에 베트남 은 IT 산업 중심으로 국가 역량을 집중하고 투자 유치에 열을 올리 고 있다.

저임금 노동력으로 옷과 신발을 만들어 경제 발전을 하던 베트 남이 어느덧 인도에 이어 세계 2위의 IT 개발 아웃소싱 국가로 변 모했다. 베트남 정부는 전통 제조 산업의 표상인 '메이드 인 베트남 **Made in Vietnam**'에서 벗어나 IT 소프트 산업의 상징인 '메이크 인 베 트남**Make In Vietnam**'을 슬로건으로 내걸고 전자통신, 정보기술 사업 발전에 힘을 쏟고 있다. 그도 그럴 것이 2019년 베트남 정보통신 부가 발표한 산업별 노동생산성 비교 자료에 따르면 전자통신 산업 이 베트남 산업 전체 평균보다 7.6배, 농림수산업보다는 19배나 높 은 생산성을 보이니 베트남 정부는 빠른 국가 발전을 위해 IT 산업에 총력을 기울일 수밖에 없다.

하지만 IT 개발자가 부족한 전 세계적인 현상이 베트남이라고 예외일 수는 없다. 베트남 IT 인력 채용 플랫폼인 톱데브의 「2022년 테크 산업 채용」 보고서에 따르면 2022년 현재 베트남 시장 전체에 필요한 IT 전문 인력은 53만 명인데 실제 채용된 개발 인력은 38만 명으로 부족한 IT 인력이 15만 명이나 된다. 매년 기업체들이 원하는 숫자에 턱없이 부족한 5만 5,000여 명의 IT 관련 전공자들이 대학을 졸업하지만 그나마도 곧바로 기업에서 일할 수 있는 수준은 30퍼센트가 채 안 된다. 베트남은 중진국으로 진입하기 위한 해결책은 찾았는데 어떻게 이행해야 할지 몰라 답답해하고 있다.

베트남의 고민을 가장 잘 해결해줄 수 있는 나라는 IT 최강 선진국인 한국이다. 베트남에서 영향력을 강화하기 위해 한국과 경쟁하는 일본과 중국 기업이 따라올 수 없는 수준이라 베트남 정부는 두 손 들고 환영할 것이다. 그렇다고 해서 단순 퍼주기식으로 지원하자는 것이 아니다. 베트남 IT 인력 양성 지원을 통해 세계에서 가장 주목받는 시장이자 중국을 대체할 생산기지로 떠오른 베트남에 진출한 우리 한국 기업에 필요한 IT 인력들을 한국 방식으로 교육하고 채용까지 연결 짓게 해야 한다.

한국-베트남 정상들은 IT 분야의 생산 투자와 기술 이전 등에서 협력해나가기로 했다. 또한 양국의 과학기술정보통신부 차관들이 4차 산업혁명 공동대응 양해각서MOU를 체결하고 공동 IT 협력 프로젝트에 합의했다. 중장기적으로는 우리 정부 차원에서 베트남 IT 교육 인재 양성을 위한 다양한 지원도 필요하지만 단기간에 빠르고 실무에 도움이 되는 IT 기술을 체득하는 방법으로 민간 기업에서 직접 실무 경험을 쌓는 것만큼 효과적인 것이 없다.

한국 정부는 우리 IT 스타트업들도 베트남에 쉽게 진출할 수 있도록 다양한 세제 혜택과 비용을 지원해야 한다. 최근 고금리로 고통받는 스타트업들이 저금리로 베트남 진출 자금을 마련할 수 있게 해주는 것도 방법이다. 또한 최근 글로벌 경기 침체로 퇴사한 한국 내 IT 개발자들과 IT업계 특성상 일찍 퇴사한 우수한 자원들이 베트남 현지 IT 기업에 채용될 수 있게 우리 정부가 적극적으로 나서는 것도 방법이다. 베트남 현지 기업이 감당하기 어려운 한국 전문가의 급여 50퍼센트를 한국 정부가 부담하는 형태로 해서 다양한 경험과 뛰어난 능력을 베트남 현지 기업에 전파할 수 있게 하는 것도 한 방법이다.

베트남에 기술을 이전하고 베트남 산업 발전을 위해 한국 인력을 지원하는 것에 대해 매우 부정적인 사람들이 많다. 베트남이 중국처럼 빠른 기술 성장을 해서 우리 산업을 위협하면 어떻게 하느냐는 것이다. 하지만 그것은 자라 무서워서 솥뚜껑을 못 닫는 것과 같은 상황이다. 우선 베트남이 어느 수준 이상 발전해야 우리의 또 다른 시장이 형성된다. 그리고 당장 우리에게 필요한 IT 인력을 어디에서든지 조달해야 하는데 한국 기업이 가장 많이 진출한 베트남이 최적의 장소이다. 인도주의적인 측면에서 베트남을 돕자는 것이 아니라 베트남에 한국의 기술을 이전함으로써 우리에게 필요한 인력을 양성하고 그에 따른 시장도 형성하는 원-원Win-Win 전략이다.

그리고 이 사업을 전개하는 데 가장 중요한 것은 전 세계에서 가장 트렌디하고 창의적인 기술력을 갖춘 한국 IT 기업들의 베트남 진출은 단기간에 베트남 IT 인력 육성과 시장 키우기의 해결책임을 베트남 정부가 충분히 인지하게 해야 한다는 것이다. 기존의 유통 산업처럼 현지 시장을 점유하는 것과 달리 한국 IT 기업이 베트남에 진출하는 것만으로도 IT 기술력 전파와 베트남 IT 시장 확대에 도움이 되는 것임을 베트남 정부 관계자들에게 이해시켜야 한다. 특히 베트남 자국 IT 민간 업체 관계자들의 목소리를 통해 베트남 정부를 설득하는 것이 가장 효과적이다.

이 부분이 중요한 이유는 최근 베트남 정부가 외국인 노동허가서 발급에 상당히 까다로워지면서 국적을 불문하고 노동 비자 받기가 매우 어려워졌기 때문이다. 특히 노동 비자 발급 요건 중에 4년제 대학 학사 소지자이면서 해당 분야의 5년 이상 경력자로 법령에 명시하면서 신입 사원으로 베트남에 취업하려는 사람이나 해당 분야의 오랜 경력자이지만 학사학위가 없는 사람들이 비자 발급에 어려움을 겪고 있다. 특히 IT 전문가는 전통적인 방식의 오랜 경력과 제도권 교육제도로 육성되는 것이 아니기 때문에 현재 베트남의 외국인 노동자에 대한 비자 발급 상황은 IT 산업에는 맞지 않다. 베트남 정부가 그간 유연한 정책으로 경제 개발에 앞장서 왔으나 베트남의 미래 성장 동력에 대한 적극적이고 선도적인 정책 변화가 필요하다.

한국-베트남 양 정부는 지난 30년간 상생 발전해온 과정을 되돌아보고 한국 IT 기업들이 베트남에 진출하고 베트남 IT 전문 인력들이 대거 양성되는 것이 양국에 모두 도움이 된다. 통 큰 결단과 아낌없는 지원을 해주길 바란다.

5

사교육 열풍은 서울 강남 못지않다

VIETNAM

급여가 높은 좋은 직장에 들어가기 위해서는 상위권 대학 출신이어야만 하고 그러기 위해서는 성적이 높은 학생들이 모여 있는 명문 중·고등학교에 입학하는 것은 당연지사다. 초등학생 때부터 과외를 받아야 하고 가능하다면 유치원생 때부터 영어와 수학 과외를 받아서라도 자녀들 성적을 높이려고 한다. 서울 강남 대치동의 이야기가 아니라 베트남 대도시 부모들의 이야기이다.

2010년 교육과학사에서 발간한 『사교육: 현상과 대응』에 따르면 베트남 중학생 76.7퍼센트가 사교육을 받았다고 한다. 같은 시기 한국 중학생의 77퍼센트, 일본 중학생의 75.7퍼센트가 사교육을 받았다. 한국 못지않은 베트남 사교육 비율은 먹고살기도 버거울 것 같은 '동남아의 못사는 나라' 베트남에 대한 한국인의 고정관념을 여지없이 깨뜨린다. 2019년 1월 영국에서 진행된 세계교육포럼 **WEF**에서 베트남 교육부 장관은 베트남 현지에서 소비되는 교육비의 경우 2000년 11.1억 달러(약 1조 3,000억 원)에서 2018년 140

학원 앞 베트남 부모들

프리미엄 영어 학원 일라에서 학부모들이 야간 수업이 끝난 아이들을 기다리고 있다.

억 달러(약 16조 8,000억 원)로 12배 이상 성장했다고 발표했다. 꾸준히 경제 성장을 하는 베트남의 상황을 고려하면 2022년 기준으로 소득 수준이 높은 하노이, 호찌민 같은 대도시에서의 사교육 비율은 90퍼센트 이상일 것으로 추정된다.

베트남 중고생 사이에 IELTS 시험 대비 열풍이 거세다

요즘 베트남 중고생들은 아이엘츠IELTS, International English Language Testing System 준비에 여념이 없다. 아이엘츠는 영국 캠브리지 대학교가 주관하며 영국, 캐나다, 호주, 뉴질랜드 등 영연방 국가에 유학, 이민, 취업하려는 외국인을 위한 영어 능력 시험이다. 그런데 베트남 주요 대학들이 변별력이 떨어지는 고등학교 영어 내신 성적 대신 아이엘츠를 입학 성적에 반영하기로 하면서 경제적 여력이 있는 베트남 중상류층 중심으로 자녀의 고액 영어 과외에 여념이 없다. 최근 뚜오이쩨Tuoi Tre, 라오동Lao Dong 등 베트남 주요 언론들은 아이엘츠 6.5~7.0을 받고도 베트남 명문대학 합격에 불안해하는 학부모 이야기를 보도했다. 아이엘츠 6.5~7.0이면 토익TOEIC 점수로 변환했을 때 대략 900~950점 이상으로 캐나다 주요 대학 입학 요구 조건에 충족하는 수준이다. 아이엘츠 준비를 위해 부모들이 우리 돈으로 수백만 원에 해당하는 학원비와 과외비를 지출하고 있다. 베트남 공장 노동자들의 월급이 30만 원이 채 안 되는 사실을 고려하면 더 이상 '개천에서 용이 나는' 일은 어려울 것으로 보여 씁쓸하다.

베트남의 교육열이 한국 못지않은 이유는 지리적으로는 동남아 국가이지만 문화적으로는 한·중·일과 함께 동아시아 유교 문화권 국가이기 때문이다. 역사적으로 베트남은 1075년 과거제도가 도입된 이래 1919년까지 844년간 시험을 봐서 국가의 인재를 뽑는 나라였다. 그래서 베트남 사회와 문화의 전체적인 분위기가 열심히 공부해서 성공해 가문을 일으켜 세우는 '입신양명'이 당연시된다. 현실적으로는 높은 급여를 주는 좋은 직장이 보장되는 명문대학에 가기 위한 교육열인데 한국과 비슷하다.

베트남 정부가 디지털 교육 확충에 앞장서고 있다

베트남 정부는 양질의 인력 양성을 위해 교육 인프라 확충을 국가적 사업으로 추진하고 있다. 손재주가 좋은 값싼 노동력과 미중 갈등 덕분에 베트남이 생산 거점으로 거듭나고 있지만 인건비는 지속적으로 상승하고 생산성 효율이 낮아질 것이 머지않았기 때문이다. 베트남은 OEM 제조국에 그치는 중진국 함정에 빠지지 않기 위해 새로운 산업에서 또 다른 먹거리를 창출해낼 수 있는 인재 양성을 위해 교육 사업에 지속적으로 투자하고 있다. 베트남 정부는 2008년부터 국가 예산의 20퍼센트를 교육 사업에 집중하고 있고 특히 디지털 교육 사업 확충에 노력을 기울이고 있다. 2021년 7월 베트남 정부는 2023년까지 중·고등학교와 직업학교의 80퍼센트, 전국 대학교의 90퍼센트에서 온라인 교육이 원활하게 실현되는 것을 목표로 하고 있다. 하지만 교육 예산이 국가 전체 예산의 20퍼센트라고 해도 베트남 전체 국내총생산의 절대적 규모가 선진국과 비교해 적은데다 빠르게 발전하는 시장 성장 속도보다 정부 주도 발전에는 한계가 있다.

다행스럽게도 미디어 리서치 업체 훗스위트Hootsuite에 따르면 2020년 베트남은 인터넷 보급률 70퍼센트, 스마트폰 보급률 63퍼센트로 국가 경제 규모에 비해 IT 인프라가 잘 갖추어져 있어 에듀테크 산업이 빠르게 발전할 기반이 마련되어 있다. 교육과 IT가 결합한 에듀테크 산업은 코로나 팬데믹으로 재택수업을 해야 하는 상황에서 더욱 빠르게 성장하고 있다. 베트남 시장평가업체 비엣트남 크레디트Vietnam Credit에 따르면 베트남 에듀테크 시장은 2019년 20억 달러(약 2조 4,000억 원)에서 2021년 30억 달러(3조 6,000억 원)로 50퍼센트 급성장한 것으로 추정된다. 베트남의 다양한 교육 기업들이 시장에서 좋은 성과를 창출해내고 있다.

베트남 교육 기업 최초로 자체 콘텐츠를 미국, 영국, 싱가포르 등 해외 대학에 수출한 토피카Topica는 2018년 싱가포르에서 5,000만 달러 투자를 유치했다. 베트남 1위 IT 기업이자 IT 전문 종합대학

베트남 에듀테크 스타트업 현황

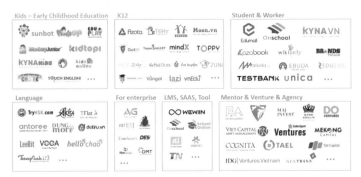

(출처: 에듀테크 베트남 2022, nguyentrihien.com)

을 운영하는 FPT는 초·중등학교에 교육 콘텐츠 제공 사업을 하고 있는데 4만 개 학교에서 300만 개 계정이 활성화되어 있다. 하노이를 기반으로 대학교와 중·고등학교, 영어 교육 학원과 유학원을 운영하는 이퀘스트EQuest는 미국 사모펀드 KKR로부터 1억 달러를 유치했다. 영어 발음 향상을 돕는 앱을 운영 중인 엘사Elsa는 100개국에서 1,300만 명의 사용자를 확보하고 있다. 구글의 벤처캐피털을 비롯한 여러 전문 투자회사로부터 1,500만 달러를 투자받았다.

한국 교육 기업 진출 시 현지 파트너와 함께해야 한다

에듀테크 사업의 선두주자인 한국 교육 기업들도 베트남 시장에 문을 두드리지만 쉽사리 열리지 않고 있다. 외국 기업이 독자적으로 베트남 교육 시장에서 사업을 진행하기에는 교육 라이선스와 각종 인허가 획득에 오랜 시간과 준비 과정이 필요하다. 공산당의 국가치고는 유연한 베트남이라지만 교육에 대해서는 외국 자본에 좀처럼 문을 열지 않는다. 법규상으로는 100퍼센트 외국인 자본이 베트남에서 교육 사업을 하는 것이 문제없다고는 하지만 실제로 사업 라이선스가 나오기가 매우 어렵다.

그래서 모든 것을 한국 기업 스스로 다 하려고 하지 말고 합작사 형태로 현지 파트너와 함께 사업을 진행하는 것이 효율적이다. 한국 기업은 교육 콘텐츠와 사업 운영 노하우를 공유하고 베트남 현지 기업이 주체적으로 사업을 운영하는 것이 빠른 사업 진행의 묘수이다. 그리고 한국 기업이 베트남 파트너보다 지분을 더 가져가려 욕심을 부리면 사업이 깨지기 쉽다. 주체적으로 사업을 하기 위해 50퍼센트 이상의 절대 안정적 지분을 가져가는 것이 유리할 것 같지만 현지 파트너가 새로운 파트너를 찾고 싶은 마음이 들지 않게 30퍼센트 수준의 지분을 유지함으로써 합작 사업을 유연하게 전개할 수도 있다. 물론 사업을 하는 데 정답은 없다.

6

아세안 최고 기업은 베트남 군 통신사다

VIETNAM

글로벌 브랜드 가치 평가 회사 브랜드 파이낸스는 브랜드 파워, 시장 점유율, 고객 충성도 등을 수치화해서 해마다 전 세계 주요 브랜드 가치 순위를 발표한다. 각 산업 카테고리별 브랜드 순위와 별도로 산업 구분 없이 종합적으로 전 세계 최고 500대 브랜드를 공개한다. 해당 조사에서 최근 5년 동안 세계 최고 브랜드 상위 3개는 아마존, 애플, 구글이었으며 삼성은 4, 5위 권이었다. 2023년 보고서에서는 현대(67위), SK(84위), LG(90위) 등의 한국 브랜드가 상위 100개 브랜드에 선정되었다.

비엣텔은 한국 통신사보다 잘나간다

최고 500대 브랜드 중 아세안 기업 중에서는 유일하게 5년 연속 글로벌 500대 브랜드에 선정된 곳이 있는데 비엣텔이라는 베트남 통신사이다. 비엣텔은 2019년 처음으로 브랜드 가치 세계 482위에 선정되었고 2020년 356위, 2023년에는 234위로 해마다 가

비엣텔 하노이 본사 전경

파르게 브랜드 가치가 상승하고 있다. 비엣텔의 글로벌 통신사 카테고리에서의 순위는 16위로 한국의 양대 통신사인 SKT(39위), KT(40위)보다 순위가 압도적으로 높다. 불과 5년 전인 2018년에는 비엣텔이 48위였고 SKT가 28위였는데 몇 년 사이에 순위가 완전히 뒤바뀌었다.

그런데 놀랍게도 수년째 아세안 최고 브랜드로 평가받는 비엣텔은 민간 기업이 아닌 베트남 국방부가 소유한 군대 기업이다. 게다가 인근 아세안 국가인 미얀마, 라오스, 캄보디아는 물론 중남미의 페루, 아이티, 아프리카의 모잠비크, 부룬디 등 전 세계 10개 국가에 진출해 있고 그중 라오스, 캄보디아, 티모르, 아이티, 모잠비크 등 5개국에서는 시장 점유율 1위이다. 2022년 비엣텔의 연결 매출액은 68억 달러(약 9조 원)이며 이중 해외 매출은 30억 달러(약 4조 원)이다. 최근 한국의 KT가 아프리카 르완다 진출 10년간 2,500억 원의 누적 적자 늪에서 헤어 나오지 못하고 있다는 소식이 보도되었다. 그런데 베트남 기업, 그것도 국방부 소유의 군 기업인 비엣텔은 모잠비크, 부룬디, 탄자니아, 카메룬 등 아프리카 대륙 4개 국가에서 훌륭한 성적을 거두고 있다.

게다가 비엣텔은 베트남 전국에 베트남만의 5G 모바일 네트워크를 구축했다. 비엣텔의 연구 개발 자회사인 비엣텔 하이테크 **Viettel High Tech**를 통해 5G 기술 국산화에 아낌없는 투자를 해왔기 때문이다. 이 덕분에 베트남은 전 세계에서 5G 장비를 생산할 수 있는 몇 안 되는 나라 중 하나가 되었고 이제는 해외로 5G 장비를 수출도 하기 시작했다. 비엣텔은 인근 캄보디아, 미얀마, 라오스에서도 5G 서비스를 시작하고 있다. 뿐만 아니라 1인당 국민소득 6,621달러로 베트남보다 소득 수준이 높은 남미 페루에도 2019년 5G 서비스를 시작했다. 2014년 진출해 페루 시장 점유율 20퍼센트를 눈앞에 두고 있는 비엣텔은 35,000킬로미터의 케이블 네트워크와 5,300개의 3G 기지 송수신국과 3,400개의 4G 기지 송수신국을 구축한 페루에서 가장 큰 통신 인프라를 구축한 통신 기업이다. 이제 본격적으로 5G로 장비가 바뀌게 되면 매출액은 더욱 높아질 것으로 보인다.

이에 더해 2022년 12월 비엣텔은 인도 최초의 모바일 서비스 업체이자 전 세계 24개국에 진출한 유나이티드 텔레콤스**United Telecoms**와 5G 모바일 통신 네트워크 인프라 솔루션 제공 사업 계약을 체결했다. 베트남 기업이 그것도 민간 기업이 아닌 군대가 운영하는 통신사가 14억 인구 인도의 5G 첨단 통신 기술 구축 사업에 참여하게 된 것이다. 베트남 국방부가 소유한 기업은 비단 비엣텔뿐만이 아니다. 은행, 부동산 개발, 건설사, 항만 사업, 항공 운송 사업, 석탄 채굴 사업 등등 다양한 수익 사업을 하고 있다. 이러한 군의

비엣텔 해외 진출 현황

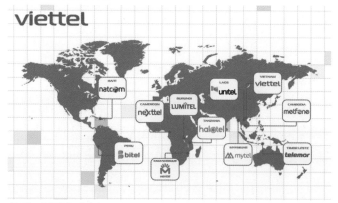

(출처: 비엣텔 홈페이지)

영리사업을 베트남 정부는 왜 허용했을까?

군이 개혁개방 경제의 중요한 축이다

1975년 미국과의 전쟁이 끝나고 통일된 남부 지역에도 공동 경작을 통한 본격적인 사회주의 경제 체제를 도입했다. 그러나 자유 시장 경제 체제에 익숙한 남부 지역 시민들의 반발이 거셌다. 1986년 개혁개방 정책인 '도이 머이'를 선언할 때까지 해마다 물가 상승률은 연간 50~70퍼센트를 넘나들었다. 경직된 경제 체제로는 국가 운영이 어렵다고 판단한 베트남 지도부는 빠르게 개혁개방을 선언했다. 하지만 전쟁 직후의 베트남에는 우수한 인력과 인프라가 부족했다. 과거 우리나라도 마찬가지였지만 개발도상국, 권위주의 국가에서는 군의 권력이 막강하기 때문에 그 사회의 엘리트들이 군에 집중된다.

베트남 정부는 전문적인 군의 조직력과 풍부한 군 인프라를 활용해 국가 경제 발전을 촉진하고자 했다. 또한 당시 베를린 장벽이 무너지고 소비에트가 붕괴되는 혼란한 국제 정세 속에서 이루어진 개혁개방은 자연스럽게 군비를 축소하게 되고 군의 조직력이 약해 질 수밖에 없었다. 베트남 지도자들은 민간 기업에 맡겼다가는 소홀할 수 있는 국가 인프라 사업을 중심으로 군이 사업을 할 수 있게 했다. 군이 무력이 아닌 경제 성장의 한 축이 되게 함으로써 나라를 지키는 군의 위상은 유지하면서 베트남 지도부에 대한 충성도를 유지할 수 있었다.

최근 2023년 1분기 베트남 경제 성장률이 기대치의 절반 수준인 3.32퍼센트에 그쳤다. 베트남 중앙은행은 2023년 3월 1퍼센트 금리인하를 단행한 데 이어 15일 만에 0.5퍼센트를 추가로 인하하고 있어 베트남 경제가 위험한 것이 아니냐는 우려의 목소리가 쏟아져 나온다. 빠르게 성장하는 베트남이라지만 글로벌 경제 위기 속에 어려움을 겪는 것도 사실이다. 하지만 경직되고 보수적일 것만 같은 군이 최첨단 기술 경쟁 사업인 통신사를 세계적인 회사로 잘 운영하고 있는 것을 보면 지금의 경제 위기도 현명하게 극복할 것으로 보인다.

⭐ 당신이 몰랐던 베트남

베트남 학생들이 올림피아드를 휩쓸고 있다

해마다 우리나라 고교생들이 국제 수학 올림피아드에서 중국과 1, 2등을 다툰다는 기쁜 소식이 들려온다. 수학 올림피아드와 과학 올림피아드에서의 성적은 해당 국가의 미래 과학 기술 수준을 어느 정도 가늠해볼 수 있는 것이라 우리의 과학 기술이 역시 세계 최강을 유지할 수 있을 것으로 보여 뿌듯하다. 그런데 최근 들어 상위권 메달 획득 국가에 베트남이 보이기 시작했다. 한국이 2위를 차지한 2022년 노르웨이 오슬로에서 열린 국제수학올림피아드 대회에서 베트남은 4위를 차지했다.

2022년 수학, 과학 올림피아드 대회 베트남 입상 성적

순위	국가	수학 올림피아드	국가	화학 올림피아드	국가	물리 올림피아드
1	중국	금 6	**베트남**	**금 4**	중국	금 4
2	한국	금 3/ 은 3	중국	금 4	한국	금 3/ 은 1
3	미국	금 4/ 은 1/ 동 1	대만	금 4	루마니아	금 3/ 은 1
4	**베트남**	**금 2/ 은 1/ 동 2**	한국	금 2/ 은 2	**베트남**	**금 3/ 은 1/ 동 1**

그래서 물리, 화학 올림피아드 대회 수상을 확인하기 위해 자료를 좀 더 찾아보니 2005년 수학 올림피아드 대회에서부터 베트남은 항상 세계 10위 이내 상위권이었다. 한국에서는 막연하게 베트남이 못사는 나라이고 후진국이기 때문에 수학, 과학 올림피아드에서 좋은 성적을 거둘 거라고는 생각하지 못했을 분들이 많을 것이다. 한 가지 더 몰랐을 사실을 알려드린다면 2022년 수학계의 노

벨상이라 불리는 필즈상을 한국계 허준이 교수가 받아서 화제였다. 그런데 한국보다 12년 앞선 2010년에 베트남의 수학 천재 응오 바오 저우Ngo Bao Chau 시카고대학교 교수가 수상했다. 이처럼 미처 우리가 모르고 있는 베트남의 모습은 많다.

필자가 베트남의 성장 전망을 밝게 보는 가장 큰 이유 중의 하나가 국가 사회 전체가 배움의 열망이 가득하다는 것이다. 그 모습이 우리 한국과 너무도 비슷하기 때문에 베트남은 분명 잘될 것이라 확신한다. 한국인과 성향이 비슷한 베트남 사람들이 한국인이 해오던 모습 그대로, 한국이 갔던 그 길을 따라가는 모습을 보고 있으면 JTBC 드라마 「재벌집 막내아들」의 진도준처럼 이미 겪어본 미래를 기다리는 사람이 된 심정이다. 우리 한국인들이 과거에 항상 많이 듣던 "한국은 훌륭한 인적자원 덕분에 빠르게 발전할 것이다."라는 말은 베트남에도 고스란히 적용된다.

4장

베트남 소비 잠재력

인트로

　베트남에 진출하고자 하는 분 중에는 베트남이 한류의 발상지이고 한국 사람들과 성향도 비슷하니 타임머신을 타고 20~30년 전의 한국으로 돌아가 당시 한국에서 유행했던 것들을 찾아서 베트남에 적용하면 크게 성공할 것이라 확신하는 경우가 많다. 다들 드라마 「재벌집 막내아들」의 주인공 진도준처럼 이미 겪어 본 미래를 통해 부자가 되고 싶겠지만 그렇게 쉽게 생각해서 실패한 '동포 청년'이 부지기수이다. 베트남 소비시장은 모자이크처럼 다양해서 쉽사리 판단하기 어렵다. 그 이유는 연령별 소비자들이 살아 온 환경이 확연히 다르기 때문이다.

1960~1970년대생=한국의 6·25세대

　우리가 월남전이라 부르는 미국과의 전쟁이 1975년에 끝났고 그 이전에는 프랑스와의 독립 전쟁으로 100여 년간 국토는 황폐화되었다. 베트남은 마치 우리나라가 일제 치하에서 독립하자마자 6·25전쟁이 발발한 것과 똑같은 역사를 겪었다. 이 때문에 1960~1970년대에 태어난 베트남 세대들은 한국의 6·25세대와 동일한 경험과 인식을 가지고 있다. 한국의 70~80세 노인 중에는 충분한 자산이 있음에도 불구하고 전기를 함부로 사용하지 않거나 오래된 옷을 쉽게 버리지 못하는 등 아껴 쓰는 것이 평생 몸에 배어 있는 분들이 많다. 베트남에서 1960~1970년대 태어난 세대 역시 전쟁으로 인해 먹을 것을 포함한 모든 물자가 귀했기 때문에 항상 아껴 두고 비상시를 대비해 현금을 비축하며 꼭 필요한 물건이 아니면 구매하지 않던 삶을 살아왔다. 그래서 이 세대들은 부동산과 금 투자를 하며 자산 증식에는 관심이 많지만 단순 소비에 대해서는 좀처럼 주머니를 열지 않는다. 그래서 베트남의 이 세대들만 생각하고 과거 1970~1980년대 우리나라에서 인기 있었던 제품을 갖다가 팔면 좋은 사업 성과를 얻을 수 있을 것으로 생각한다면 실패할 수밖에 없다.

1980년생=한국의 베이비부머 58년 개띠

지금 베트남의 30~40대이자 주요 소비층인 1970년대 후반 ~1980년대생들은 전쟁 직후에 태어난 베이비부머들이다. 형제자매가 8~10명인 경우가 다반사인데 이들도 역시 물자 부족을 겪으며 살아 온 세대들이다. 베트남이 지금은 세계 1~2위를 다투는 쌀 수출국이지만 1986년 개혁개방 정책인 도이 머이를 선언하기 전까지는 쌀이 부족해서 수입해서 먹었다. 부족한 물자를 8~10명이나 되는 형제자매들이 나누어 쓰고 물려 썼던 세대들이다. 그래서 이들 역시도 유년 시절 아껴 쓰는 것이 몸에 배어 있는 사람들이라

기본적으로 소비재 시장에서 씀씀이가 그다지 크지 않다. 게다가 이 세대들 대부분은 만 19~21세에 결혼하는 것이 일반적이었기 때문에 본인들을 위해 치장하고 가꾸는 제품에 돈을 쓰기보다는 자녀들을 위한 교육비나 육아비에 집중해서 소비했다. 하지만 이들은 베트남의 개혁개방을 직접 체험하고 1990년대 후반 외국 기업들이 베트남에 본격적으로 진출할 때 외국인들과 함께 일하면서 해외 문물에 익숙해진 사람들이기도 해서 요즘은 자신을 위한 소비에 적극적인 모습을 보이기도 한다. 이렇다 보니 지난 20여 년간 베트남에서 한국 제품을 판매해보려던 분들이 베트남 소비시장 파악에 혼란스러울 수밖에 없었다.

1990년대생=베트남 한류 세대

1990년대에 태어난 세대들은 베트남의 본격적인 개방으로 풍부한 물자와 다양한 해외 문화를 받아들이기 시작한 개방 세대들이다. 1990년대 후반 한국 드라마와 가요가 베트남에서 유행하기 시작할 때 어린 시절을 보낸 원조 한류 세대이기도 하다. 이들이 막 성인이 되던 시기에 스마트폰이 세계적으로 유행하면서 손에 쥔 핸드폰으로 SNS에 자신의 의견을 적극적으로 개진하기도 하고 정신없이 게임에 빠지기도 하고 배달 앱을 통해 음식도 시켜 먹으며 저가 항공 취항으로 해외여행을 다니는 베트남의 본격적인 소비 세대들이다. 이들이 성인이 되어 직장을 갖기 시작한 2015년부터 베트남 소비시장은 급격히 늘어나기 시작했다. 이들 1990년대생은 한국에서 유행하는 것을 거의 동시에 베트남에서 소비하고 소유하고 있어서 타임머신으로 예전 한국 제품을 팔려고 하기보다는 현재 한국에서 유행하는 것 중에 이 베트남 소비자들이 좋아할 만한 것이 무엇인지, 어떤 방식으로 그 고객들에게 다가갈 것인가가 중요하다.

2000년대생=외국어 잘하는 MZ 세대

베트남 2000년대생들은 1970~1980년대생들의 자녀들로 부모들의 아낌 없는 지원으로 해외 유학을 본격적으로 다니는 세대들이다. 일반 중산층 집안에서는 영어 학원을, 소득 수준이 아주 높은 집안에서는 1년에 7만~10만 달러에 달하는 국제 학교에 다니는 세대들이다. 외국어를 잘하고 여느 글로벌 MZ 세대들과 다를 바가 없다.

이처럼 베트남 소비층들은 단순히 나이에 따른 각기 다른 소비 성향을 보이는 것보다는 역사적, 사회적 환경으로 인해 전혀 다른 소비 성향을 보인다. 그러므로 단편적인 생각으로 베트남 소비 트렌드를 파악하려고 하면 낭패를 볼 수밖에 없다. 그런데 베트남 소비자들의 세대 구분 없는 공통점 한 가지는 새로운 것을 빠르게 받아들인다는 것이다. 수십 년간의 전쟁 직후 먹을 것을 고민할 정도로 어려워진 경제 상황 속에서 받아들인 개혁개방 홍수에도 베트남 사람들은 혼란 없이 새로운 것을 빠르고 유연하게 받아들였다. 베트남 사람들의 탄력 있고 강한 흡수력은 해외에서도 유감없이 발휘되었다. 전쟁 피난민으로 미국, 호주, 프랑스에서 억척같이 살아가며 일어선 베트남 사람들은 본국에 있는 가족과 친지들에 대한 도움을 지속적으로 이어갔다. 그들은 가족들이 장사를 해서 생계를 이어갈 수 있게 각종 물건을 보냈는데 그 덕택에 유럽과 북미 트렌드가 베트남에 쉽게 자리 잡았다.

베트남 소비시장이 모자이크와 같이 다양해진 근본적인 원인에는 복잡한 역사적, 지리적 영향도 있어 보인다. 보수적이지만 근면 성실한 유교 한자 문화권인 동북아 문화, 180여 년간의 프랑스 지배하에 형성된 유럽식 사고와 새로운 문물에 대한 선호, 마지막으로 동남아시아 지역 특유의 자유분방함과 유연성이 잘 버무려져 있는 곳이 베트남이다 보니 소비 취향을 쉽게 파악하기 어렵다.

이번 파트에서 소개하는 몇 가지 사례만으로 베트남 소비 트렌드를 금방 파악하기는 쉽지 않겠지만 독자들이 가장 중요하게 생각해야 할 것은 '한국에서 상식이 베트남에서는 아닐 수 있다'는 것이다. 막연하게 30년 전 한국의 모습을 통해 성공한 동포 청년을 꿈꾸었을 분들에게 심심한 위로를 드리며 베트남과 한국이 다른 점이 무엇인지를 찾아보시길 바란다.

1

세계 1위 라면 왕국이다

VIETNAM

　'쌀국수의 나라' 베트남이 의외로 전 세계에서 라면을 가장 많이 소비하는 국가 톱 3이다. 세계 인스턴트 라면 협회WINA에 따르면 지난 10여 년간 중국-인도네시아-인도-일본에 이어 세계 5위의 라면 소비국이었던 베트남이 2020년 3위에 등극한 이래 현재까지 그 자리를 확고히 하고 있다. 2022년 기준 1위 중국(450억 7,000만 개), 2위 인도네시아(142억 6,000만 개) 3위 베트남(84억 8,000만 개)이다. 2015년부터 2019년까지 연평균 3.1퍼센트 성장을 하던 베트남 라면 시장은 코로나 팬데믹으로 각 가정에서 비상식량으로 라면을 비축하면서 2020년 29.5퍼센트, 21년 21.8퍼센트로 급등했다. 코로나 팬데믹이 종식된 2022년에는 -0.93퍼센트로 다소 줄어들었지만 베트남 사람들의 라면 소비량은 여전히 어마어마하다.

　국민 1인당 라면 소비량 기준으로 순위를 보면 2022년 기준 베트남(86개), 한국(77개), 태국(54개), 인도네시아(51개)로 베트남이 세계 1위이다. 베트남은 인구 1억에 가까운데다 다양한 종류의 쌀국수를

전 세계에서 가장 많은 라면을 소비하는 국가

(단위: 백만 개)

순위	국가	2018년	2019년	2020년	2021년	2022년
1	중국	40,250	41,450	46,350	43,990	45,070
2	인도네시아	12,540	12,520	12,640	13,270	14,260
3	**베트남**	**5,200**	**5,430**	**7,030**	**8,560**	**8,480**
4	인도	6,060	6,730	6,730	7,560	7,580
5	일본	5,780	5,630	5,970	5,850	5,980
6	미국	4,520	4,630	5,050	4,980	5,150
7	필리핀	3,980	3,850	4,470	4,440	4,290
8	한국	3,820	3,900	4,130	3,790	3,950
9	태국	3,460	3,570	3,710	3,630	3,870
10	브라질	2,390	2,450	2,720	2,850	2,830

(출처: 세계인스턴트라면협회WINA)

국가별 연간 1인당 라면 소비량

(단위: 개)

순위	국가	2018년	2019년	2020년	2021년	2022년
1	**베트남**	**53.0**	**55.3**	**71.6**	**87.2**	**86.0**
2	한국	73.7	75.3	79.7	73.4	77.0
3	태국	49.7	48.2	51.8	50.6	54.0
4	인도네시아	45.4	45.3	45.8	48.2	51.0
5	일본	45.9	44.7	47.4	47.2	49.0
6	필리핀	35.8	34.7	40.3	40.0	37.0
7	중국	27.9	28.7	32.1	30.9	32.0

(출처: 세계인스턴트라면협회WINA)

하루에 한 번씩은 먹는데도 불구하고 절대적 소비 수량과 1인당 소비 수량 모두 높아서 진정한 라면 애호국 사람들이라 부를 만하다.

베트남에는 2023년 기준 50여 개의 라면 제조 업체들이 500개 이상의 라면을 제조·판매하고 있다. 이틀에 한 개꼴로 신제품이 나올 정도로 베트남 라면 시장은 치열하다. 4개 업체가 전체 시장의

베트남 기업체별 라면 판매 시장 점유율

(단위: %)

순위	기업명	2018년	2019년	2020년	2021년
1	에이스 쿡	36.8	36.7	35.4	35.4
2	마산 컨슈머	21.6	23.5	27.2	27.9
3	유니벤	17.2	8.0	14.9	12.2
4	아시아 푸드	11.5	10.8	10.1	8.0
5	기타	12.9	21.0	12.4	16.5
	합계	100.0	100.0	100.0	100.0

(출처: 리테일 데이터 조사)

87.6퍼센트를 장악하고 있다. 베트남 라면 업계 1위는 시장 점유율 35.44퍼센트를 차지하고 있는 에이스 쿡**Acecook**이다. 1993년 일본의 유명 종합상사인 마루베니가 베트남 업체와 합작 형태로 설립을 했는데 100퍼센트 일본 자본으로 설립된 기업이다. 베트남에 여행 다녀온 한국인 관광객들 사이에서도 인기 있는 하오하오 **HaoHao**가 바로 이 에이스쿡의 대표 라면이다.

시장 점유율 2위의 마산 컨슈머는 SK그룹과 국민연금이 5,300억 원을 투자해 국내 투자업계에서 널리 알려진 그 마산그룹**Masan Group**의 대표 식품 자회사이다. 마산이 라면 시장에 뛰어들면서 1위 에이스쿡의 시장점유율이 지속해서 줄어들고 있다. 2019년 마산이 베트남 최대 기업 빈 그룹의 할인점과 편의점 2,300여 개를 운영하는 빈 커머스를 인수하면서 두 업체 간의 시장점유율 격차는 더욱 줄어들게 되었다. 여기에서 다시 한번 SK그룹이 등장하는데 마산이 인수한 빈 커머스에 SK그룹이 2021년 4월 4,600억 원을 투자해 지분 16.26퍼센트를 확보했다. 베트남 라면 시장에 간접적으로 한국의 SK가 관여하고 있는 셈이다.

한국 라면 기업들의 활동이 활발하다

한국 라면회사들도 베트남 시장에서 분주하게 활동 중이다. 베트남 시장에 가장 먼저 직접 뛰어든 업체는 '팔도'이다. 2006년 법인을 설립하고 2012년에는 베트남 현지 라면들과의 가격 경쟁력을 확보하기 위해 베트남에 공장을 설립했다. 우리 돈으로 개당 300~400원 내외인 베트남 현지 라면 가격에 맞추어 '코레노Ko-reno'라는 베트남 시장 특화 브랜드를 만들어 400원가량에 제조 판매 유통하고 있다. 팔도는 처음부터 한국 교민이 아닌 베트남 현지 고객에만 집중했다. 이러한 노력 끝에 팔도는 2019년 7,300억 동(365억 원)의 매출을 기록하며 베트남 라면 업체 톱 10에 진입했다.

오뚜기는 2007년 법인 설립 후 케첩, 마요네즈와 같은 소스 중심으로 현지 영업을 하다가 2018년 베트남 북부 지역에 라면 공장을 설립했다. 오뚜기는 한국에서 판매하던 라면을 베트남 현지 제조로 비용을 낮추어 판매가를 500원까지 낮추었다. 또한 베트남 현지 고객의 먹는 양이 적어 현지 라면의 중량이 70~80그램인 것에 착안해 70그램 중량의 '진라면 미니'를 출시해 현지화 전략에 적극적이다.

한국 1위 라면 업체인 농심은 2018년 베트남 법인을 설립해 영업을 시작했다. 삼양라면은 아직 법인 설립은 하지 않았고 2019년 베트남 현지 공장 설립 타당성 조사를 진행했으나 코로나 팬데믹으로 진전된 계획을 발표하지 못하고 있다. 베트남 현지 라면 가격이 지나치게 저렴하다 보니 가격 경쟁력 싸움에서 열세인 한국 업체들이 베트남에 직접 진출하는 것을 꺼리기도 한다. 한국에서 수출하는 물량이면 별다른 비용 발생이 없다 보니 베트남 거주 20만 명의

소용량 라면들

베트남 현지 소비자를 겨냥해 만든 70그램짜리 소용량 라면들이다.

한국인 시장에 안주하는 아쉬운 모습도 보인다. 한편으로는 베트남에 진출했더라도 한국에서 파견 나온 1~2명의 적은 주재원들이 하루라도 빨리 성과를 만들어내야 한다며 본사에서 채근하고 조급증을 보여 단기적인 성과에 집착할 수밖에 없게 만들기도 한다.

먼저 베트남 음식 문화 분석을 해야 한다

음식에는 역사, 사회, 문화, 날씨, 기후, 사람들의 습성까지 한 나라의 모든 것이 담겨 있다. 그러다 보니 다른 나라 식음료 시장에서 성공하기 위해서는 많은 시간과 노력이 필요하다. 하지만 안타깝게도 한국의 라면 업체들은 베트남 음식 문화에 근본적인 접근을 고민할 여력이 없어 보인다.

비슷해 보이지만 한국과 베트남 라면을 조리하고 먹는 문화가 다른 점 몇 가지를 보면 한국 사람들은 얼큰한 국물을 선호하지만 수돗물이 석회수인 베트남에서는 라면 면발만 먹고 국물을 마시지 않

볶음 라면 메뉴판

베트남 편의점에서 판매 중이다.

는다. 베트남 라면은 우리처럼 냄비에 끓여서 조리하는 것이 아니라 대접에 라면과 수프를 붓고 뜨거운 물을 부어서 조리해 먹는다. 한국에서는 낯설지만 베트남 라면 수프에는 고수풀이 들어 있기도 하고 시큼한 국물 맛이 난다. 베트남에서 가장 많이 먹는 라면 방식 중의 하나가 볶음 라면이다. 일반 식당에서도 해산물과 고기를 함께 넣고 메뉴에 올려놓고 판매할 만큼 일반적이다. 요즘은 학교 앞 편의점에서 학생들의 한 끼 식사로 가장 많이 팔리는데 뜨거운 물에 데친 라면을 소스에 볶아 계란 프라이에 얹어 먹는다. 우리 돈으로 750~1,000원이다. 베트남뿐만 아니라 동남아시아에서는 이 볶음 라면을 흔히들 먹는다. 이처럼 라면을 먹는 방식도 맛 자체도 확연히 다르다.

　무조건 한국에서 가장 잘 팔리는 라면을 현지 공장에서 제조해서 가격을 낮추어 판매한다고 해서 팔리는 것은 아니다. 앞으로 긍정적인 것은 베트남 젊은 층을 중심으로 한국 문화의 유행으로 한국맛의 얼큰한 라면이 인기를 끌고 있다는 점이다. 하지만 아직 전반적인 현상은 아니다.

전 세계적으로 주목받는 큰 라면 시장인 만큼 진입하려는 업체들도 많고 탄탄하게 자리잡은 현지 업체들도 많다. 베트남은 쉬워 보여 웃으면서 들어오지만 대다수가 울면서 나가는 어려운 시장이다. 현지에서 시장을 개척하는 직원들에게 충분한 시간을 주고 지원해 주기를 바란다.

여담으로 베트남이 한국을 제치고 1인당 라면 소비량에서 1등을 했다는 기사가 나가고 라면 부심 가득한 우리나라 네티즌들이 1위 자리를 되찾아야 한다고 아우성이었다. 라면을 사랑하시는 분들에게 희소식을 하나 들려드리겠다. 앞에서도 언급했지만 베트남 라면은 보통 70~75그램이다. 우리나라 봉지 라면은 대개 115~120그램이니까 베트남 라면보다 양이 60퍼센트가량 더 많다. 그러니 진정한 라면 위너는 대한민국 국민이다.

2

비건 푸드의 떠오르는 성지이다

2018년 8월 치킨 브랜드의 대명사인 KFC가 '비건 치킨버거'를 세계 최초로 영국과 베트남에서 한정 출시했다. 동물성 음식을 거부하고 채식을 하는 사람을 일컫는 비건Vegan과 닭고기가 함께 표현된 모순적인 '비건 치킨버거'라는 메뉴도 독특하지만 KFC는 왜 하필 베트남에서 세계 최초로 비건 치킨버거를 출시했을까?

베트남에는 1,000만 명의 불교도와 불교에서 파생된 베트남 자생 종교인들이 있다. 그들은 매월 음력 1일과 15일, 그리고 개인적인 애도일과 기도일에는 육식을 금하고 채식을 하는 사람들이 많다. 꼭 불교 신자가 아니더라도 돌아가신 부모님과 조상에 제를 올리는 것이 당연시되는 베트남의 유교문화와 살생을 금하는 불교문화가 생활 곳곳에 혼재되어 있다. 따라서 살생으로 인한 업보와 윤회에 대한 믿음으로 조상들을 위해 한 달에 2~3번은 채식을 하기도 한다.

특히 KFC가 베트남에서 한정적으로 출시했던 8월은 베트남 사

채식 식당

음력 보름에 채식 식당에서 점심을 먹고 있다.

람들이 조상들을 기리기 위해 제사를 지내는 백중절(음력 7월 15일)
이 있는 날이었다. 불교 신자가 아닌 사람들도 이 날만큼은 돌아가
신 조상들을 위해 채식을 하는 것이 일반적인데 KFC가 이 시기에
맞추어 베트남에 비건 치킨버거를 출시한 것이다. 채식을 하는 비
건이 세계적인 트렌드가 되고 있어 닭고기 메뉴가 브랜드의 상징인
KFC마저도 고객 확보를 위해 대변신을 시도하면서 그 실험 무대
로 베트남을 선택한 것이다.

베트남 비건 푸드는 세계적으로 인기 있다

미국과 유럽의 채식주의자들 사이에서 베트남 음식은 인기 있는
비건 푸드로 주목받고 있다. 미국, 호주, 영국 등의 지역 일간지에서
선정하는 '맛있는 채식 식당 리스트'에는 대체로 베트남 식당들이
들어가 있다. 게다가 베트남을 여행하는 서양인들 사이에서도 비
건 푸드에 대한 인기가 많아 글로벌 여행 사이트나 여행자들의 블

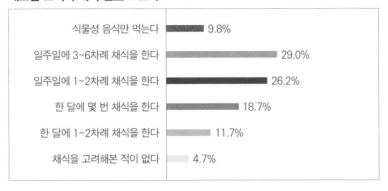

베트남 소비자 채식 선호도 조사

식물성 음식만 먹는다	9.8%
일주일에 3~6차례 채식을 한다	29.0%
일주일에 1~2차례 채식을 한다	26.2%
한 달에 몇 번 채식을 한다	18.7%
한 달에 1~2차례 채식을 한다	11.7%
채식을 고려해본 적이 없다	4.7%

로그에는 베트남의 비건 푸드에 대한 각종 정보와 호평 일색이다. 베트남 최대 음식 주문 플랫폼인 푸디Foody에 등록된 채식 식당은 2022년 현재 호찌민 1,200여 개, 하노이 200여 개이다. 호찌민 지역에 채식 식당이 많은 이유는 불교 신자들이 더 많아서이기도 하지만 열대 지방이자 남부의 드넓은 평야 지대에 과일과 농산물이 풍부해서 다양한 비건 메뉴가 개발될 수 있는 천혜의 환경이기 때문이다. 그래서 베트남 슈퍼마켓에서는 채식 라면이나 콩고기를 쉽게 구매할 수 있다.

그런데 소비자 조사 결과는 예상과 달리 베트남 사람들은 단순히 종교적인 이유 때문이 아니라 '건강을 위해서' '동물 복지를 위해서' '다이어트를 위해서' 채식을 하는 것으로 나타났다. 2019년 스태티스타가 발표한 '베트남 소비자 채식 선호도 조사'에 따르면 설문 응답자 중 29.0퍼센트가 일주일에 3~6차례 채식을 한다고 답했다. 또한 일주일에 1~2차례 채식을 한다고 응답한 사람은 26.2퍼센트로 일주일에 한 차례 이상 채식을 하는 비율이 전체 54.2퍼

베트남인들이 채식하는 이유

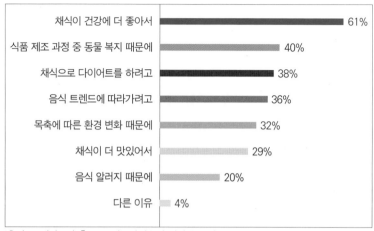

채식이 건강에 더 좋아서	61%
식품 제조 과정 중 동물 복지 때문에	40%
채식으로 다이어트를 하려고	38%
음식 트렌드에 따라가려고	36%
목축에 따른 환경 변화 때문에	32%
채식이 더 맛있어서	29%
음식 알러지 때문에	20%
다른 이유	4%

(출처: 스태티스타, 「2021 베트남인들이 채식하는 이유」)

센트나 되었다.

'채식을 하는 이유'에 대한 질문에 복수 응답으로 '채식이 더 건강한 음식'이 61퍼센트로 1위를 차지했다. 그 외에도 40퍼센트가 '동물 복지'를 위해서라고 답변했다. 눈에 띄는 답변은 36퍼센트가 응답한 '최근 음식 트렌드를 따르고 싶어서'와 38퍼센트의 '비건 다이어트를 위해서'였다. 대체로 채식을 하는 이유가 '건강과 다이어트를 위함이며 이는 베트남의 트렌드로 자리잡고 있다'는 것이다. '비건'은 유럽과 북미의 소득 수준이 높은 사람들의 트렌드일 것 같은데 2022년 기준 1인당 국민소득이 겨우 4,110달러인 베트남에서 비건이 트렌드라는 것은 의외일 수밖에 없다.

슈퍼마켓의 우유 진열 공간도 비건 경쟁으로 뜨겁다

요즘 베트남 슈퍼마켓의 진열 공간 중 비건 제품들의 경쟁이 치

견과류 우유

호두, 아몬드, 캐슈너트, 마카다미아 등 다양한 견과류 두유들이 판매되고 있다.

열한 곳은 우유 진열 공간이다. 2018년 베트남 최대 우유 회사인 비나밀크Vina Milk는 호두, 아몬드, 팥 우유를 출시했고 3위 업체인 TH밀크TH Milk 역시 호두, 아몬드 우유에 추가로 마카다미아 우유를 출시하며 경쟁하고 있다.

베트남에서는 전통적으로 아침에 두유를 많이 먹었다. 그런데 유전자 콩을 사용한 두유에 대한 불신이 형성되면서 한국의 쌀음료가 두유를 대체하며 인기를 끌고 있는 상황에서 견과류 우유가 베트남 내에서 생산되기 시작한 것이다. 베트남 현지 업체인 비나밀크의 견과류 우유는 한국으로도 수출되고 있고 최근에는 중국과 대만으로도 수출 영역을 넓히고 있다.

비건 상품이 미래 먹거리 산업으로 주목받고 있다

베트남은 한때 세계 캐슈너트 수출의 50퍼센트를 차지했을 정도로 최대 생산지이다. 캐슈너트를 이용한 비건 치즈를 상품화하고 있는 스타트업도 있다. 아직은 식당을 운영하면서 온라인에서 소량 판매하고 있지만 베트남 거주 외국인과 채식을 원하는 베트남인들 사이에서 인기이다. 채식을 하는 사람 중에는 자신의 건강을 위해서라기보다는 자연환경의 보호를 목적으로 하는 사람들도 있다.

지구에서 배출되는 온실가스의 56퍼센트가 소를 키우면서 발생된다 해서 지구온난화를 방지하기 위한 목적으로 유럽에서는 비건 치즈가 인기 있다. 스위스의 공영 방송(swissinfo.ch)은 '미래의 스위스 치즈는 견과류로 만들어집니다'라는 제목의 기사에서 캐슈너트로 다양한 치즈와 스위스를 상징하는 퐁듀를 만드는 것을 소개했다. 또한 일반 치즈를 생산하는 데 16리터의 우유가 필요하지만 비건 치즈는 1킬로그램의 캐슈너트와 0.5리터의 물만 필요하기 때문에 매우 친환경적이다. 베트남이 비건 치즈를 제조하기 위한 필수 원료인 캐슈너트의 주요 원산지이니 상대적으로 경쟁력 있는 비용으로 더욱 다양한 상품을 개발해서 유럽으로 수출할 기회가 많다.

한국 비건 푸드 기업에 큰 기회이다

한국의 개성 넘치는 비건 푸드 기업들이 베트남을 새로운 시장으로 바라보고 진입해도 좋을 것으로 보인다. 베트남의 채식 식당들의 메뉴를 보면 보통 두부, 버섯, 각종 채소를 주요 재료로 하는 요리들이 많다. 대체로 두부나 버섯을 튀기거나 간장에 조린다. 아무래도 육식보다는 씹는 맛이 부족하다 보니 튀기고 짜고 맵게 해서 식욕을 돋게 할 수밖에 없다. 채식이 몸에 좋은 음식이라 해서 먹는데 오히려 몸에 안 좋을 수도 있어서 참신한 메뉴를 기대하는 고객들이 많다. 한국에서는 참치가 안 들어간 참치를 개발했다고 하는

데 이런 새로운 메뉴가 베트남에서도 필요하다. 우리의 사찰 음식을 좀 더 캐주얼하게 만들어낼 수도 있고 김이나 미역과 같은 해초를 활용한 메뉴라든지 한국만의 개성 넘치는 우리 식품 기업들이 베트남에서 맛있는 한식 비건으로 좋은 성과를 낼 수 있지 않을까 기대해본다.

또한 베트남의 비건 상품 개발이 미래 먹거리 사업으로 주목받기 위해서는 세심한 디자인과 상품 기획력이 필요하기 때문에 한국 기업과 식품 개발 인력에게는 좋은 기회이다. 떠오르는 비건 푸드의 소비 시장으로서도, 세계 여러 나라로 수출하기 위한 생산기지로서도 베트남은 떠오르는 성지이다.

3

그랩, 베트남인의 삶을 바꾸어 놓았다

VIETNAM

아침에 그랩 오토바이로 출근해서 업무 중 거래처로 보낼 상품은 그랩익스프레스 서비스를 이용한다. 점심은 그랩푸드 주문 서비스를 통해 맛집의 반미Banh Mi 샌드위치와 스타벅스 아메리카노를 배달시켜 먹는다. 비가 내리는 퇴근 시에는 그랩카를 타고 집에 가면서 그랩마트 서비스를 통해 슈퍼마켓에서 장을 보며 하루를 마무리한다.

베트남을 비롯한 아세안 8개국 351개 도시에서는 이처럼 하루의 시작과 끝을 그랩Grab과 함께할 수 있다. 한국에서는 그랩에 대해 '동남아의 우버Uber'라며 아류 정도로 아는 경우가 많다. 말레이시아에서 택시 호출 서비스로 처음 시작한 그랩은 2023년 기준 기업 가치가 140억 달러(약 18조 원)로 매일 4,500만 명 이상이 사용하고 가입자가 1억 명이 넘는 거대 기업이다. 말레이시아에서 시작한 기업이지만 그랩은 베트남 사회 전반에 다양한 변화를 이끌고 있다.

출근길

그랩 오토바이로 출근하는 베트남 사람들

그랩이 변혁과 사회 문제를 동시에 몰고 왔다

베트남에는 대중교통이 부족해서 오토바이 없이는 생활하기가 여간 불편한 것이 아니다. 시내버스는 매우 부족하고 전철과 지하철은 호찌민에서 아직 한창 공사 중이다. 그나마 하노이는 2022년이 되어서야 막 개통했다. 그러다 보니 호찌민이나 하노이 같은 대도시로 유학을 온 지방 출신 학생들은 빠듯한 살림에 오토바이를 살 수 없어 생활하기가 불편했다. 베트남에는 쎄옴Xe om이라 부르는 오토바이 택시가 있었지만 주변에 항상 있는 것도 아니고 탑승 전에 가격을 협상하고 바가지요금으로 실랑이하는 것이 현지인들에게도 여간 불쾌하고 짜증나는 것이 아니었다.

그러던 차에 승차 공유 서비스인 그랩이 베트남에 도입되어 스마트폰으로 편하게 차량과 오토바이를 호출할 수 있고 적정 금액이 사전에 고지되니 바가지요금 걱정도 사라지게 되었다. 게다가 그랩이 자체적 프로모션으로 할인 쿠폰을 뿌려 대니 고객들은 환호했다.

택시 쎄옴 기사들

택시 쎄옴 기사들이 길거리에서 대기 중이다.

하지만 베트남 곳곳에서 생계 수단을 위협받은 쎄옴 기사들이 그랩 기사들을 집단 폭행하거나 쎄옴 기사들과 그랩 기사들 간에 집단 패싸움이 벌어져 큰 사회적 문제가 대두되었다. 시간이 흐를수록 스마트폰을 이용할 줄 아는 쎄옴 오토바이 택시 기사들이 대세인 그랩 기사로 신분을 갈아탔지만 환갑이 넘은 기사들은 몇 개월치 소득에 해당하는 비싼 스마트폰을 사지도 못하고 어떻게 그랩 기사가 될 수 있는지 몰라 생계 수단이 막막해졌다. 쎄옴 기사라고 해서 다 바가지를 씌우는 것도 아니었고 성실한 한 집안의 가장도 있었지만 급격한 사회 변화로 다른 일자리를 찾아야만 했다.

그랩이 택시 회사들을 혁신시키고 고객만족을 높인다

택시 회사들도 발칵 뒤집혔다. 택시 요금보다 50~70퍼센트 저렴한 그랩카 때문에 택시 회사들이 파산하기 시작했다. 일반 택시로는 소득이 보전되지 않은 베테랑 택시 기사들은 그랩카로 직장을 옮겨갔다. 호찌민의 최대 택시 회사 비나선Vinasun은 그랩의 약탈적인 가격 정책 때문에 손해를 봤다며 소송을 걸기도 했다. 2020년 3월 호찌민 고등법원은 그랩이 택시 회사 비나선에 48억 동(2억 4,000만 원)을 배상하라고 최종 판결을 내렸다.

하지만 고객들은 택시 회사에 전혀 동조하지 않았다. 베트남 택시들은 미터 조작, 엉뚱한 길로 돌아가서 바가지요금 씌우기, 불쾌한 악취와 빈대나 벼룩 서식 같은 위생 불량 문제도 있었기 때문이다. 고객들의 비난이 거세지자 시장 환경 변화에 적응하기 위해 택시 회사들은 자구책을 마련하기 시작했다. 택시 안을 청결하게 하고 오래되고 낡은 택시는 새것으로 바꾸고 자체 호출 서비스 앱을 만들어 고객이 목적지까지 예상 금액을 확인할 수 있어 바가지요금 시빗거리도 없앤 것이다.

그랩이 오토바이 대신 차 타는 습관을 만들어내다

불과 2010년대 중반만 해도 베트남에서는 시내 10~20분 거리 이동에도 차멀미 때문에 차를 못 타는 사람들이 많았다. 평생을 오토바이만 타던 사람들이다 보니 자동차 타는 것이 익숙하지 않아서였다. 당시에만 해도 호찌민 시내에 돌아다니는 차 대부분은 외국인 주재원들의 기사 딸린 렌터카였고 택시의 주요 고객 역시 외국인 관광객이나 베트남 거주 외국인들이었다.

그랩 서비스가 시행되고 나서는 중산층들이 오토바이 대신 차를 타고 다니기 시작했다. 외국 기업이나 대기업에 다니는 여성 관리자급 직원들이나 해외 유학을 다녀온 젊은 여성 직장인들이 그랩을 선호했다. 특히 비 오는 날은 출퇴근하기 힘들어 그랩카의 인기는

그랩카

베트남 가족들이 쇼핑을 마치고 그랩카를 타고 있다.

더욱 치솟았다.

그랩이 베트남 중산층의 화장품 사용량을 늘리다

상관관계를 증명할 데이터는 없지만 필자는 그랩이 베트남 중산층 여성들의 화장품 사용량을 대폭 늘렸다고 판단한다. 왜냐하면 베트남의 오토바이 출퇴근길은 보통 40분~1시간이 소요된다. 출근 시간 동안 무더위로 땀에 젖어 얼굴에 메이크업하면 찐득거리는 화장품에 먼지와 매연이 달라붙는다. 그 매연을 막기 위해 마스크를 쓰면 화장품이 마스크에 묻어버리니 화장하기가 여간 번거로운 것이 아니다. 게다가 호찌민을 중심으로 하는 남부 지방은 1년에 절반은 우기라서 비를 맞으면서 오토바이를 타야 하니 화장할 엄두를 못 낸다. 그런데 에어컨이 나오고 비가 쏟아져도 걱정 없는 그랩카를 타고 다니면서 메이크업을 할 여력이 생긴 것이다.

배달 앱 회사 라이더들

점심시간에 음식을 배달하고 있다.

진정한 배달 국가 베트남에 배달의민족이 뛰어들다

베트남에서는 커피 한 잔, 쌀국수 한 그릇에서부터 냉장고, 세탁기, 심지어 시골에서는 돼지 한두 마리 정도는 오토바이로 배달되는 진정한 배달의 국가이다. 저렴한 인건비 덕에 2킬로미터 이내 거리까지는 배달비가 우리 돈 750원이고 추가 1킬로미터당 250원만 내면 되니 저렴하기 그지없다. 2019년 그랩은 그랩푸드를 출시하면서 공유 차량 서비스에서 음식 배달 주문까지 확장했고 한국의 배달의민족이 베트남 현지 2위였던 배달 앱 비엣트남엠엠Viet-nammm을 인수하면서 베트남 시장에 뛰어들었다. 치열한 베트남 배달 시장이지만 아직 할인 쿠폰에 따라 고객들이 움직이고 있어 치열한 치킨 게임인 상황이다. 더 탄탄한 자본으로 버티다 보면 베트남 배달 앱 시장은 황금알을 낳을 수 있을까?

스태티스타의 「2016~2020년 베트남 온라인 음식배달 산업의 시장규모와 2025년 시장 예측」 보고서에 따르면 베트남 온라인 음

배송 기사들

배송 기사들이 반미 가게 앞에서 픽업하기 위해 기다리고 있다.

식배달 산업은 2017년 1억 3,050만 달러(1,700억 원)였던 시장이 2019년 4억 2,460만 달러(5,500억 원) 시장으로 3배가량 커졌다. 2025년에는 27억 900만 달러(3조 5,000억 원) 시장으로 2017년 대비 20배 커질 것으로 예측했다.

한국에서도 승차 공유 서비스가 가능할까?

일반 택시와 달리 승차 공유 서비스를 이용하게 되면 고객이 어느 장소로 이동했는지 기록에 남는다. 이 데이터를 바탕으로 단순하게는 교통량과 방문 지역의 상권 분석 등을 할 수 있으며 이용한 고객의 연령과 성별에 따라 세분화된 소비와 라이프 스타일을 분석할 수 있다. 승차 공유 서비스업체들의 저렴한 이용 요금의 이유가 이러한 데이터를 확보하기 위함임을 알 만한 사람들은 다 알고 있다. 전 세계 투자자들은 이렇게 확보되는 고객 데이터뿐만 아니라 승차 공유 서비스, 자율주행차, 전기자동차, 수소자동차의 도입 여부와 연결 지어 가치를 더욱 높게 평가하고 있다.

그랩의 가치를 진정으로 높이는 것은 따로 있는데 바로 모바일 간편 결제, 뱅킹, 대출, 보험과 같은 핀테크 사업이다. 그랩을 이용할 때 신용카드나 온라인 이체를 통해 충전해서 쓰는 그랩 페이인 모카Moca, 배송 기사는 물론 그랩을 통해 물건을 판매하는 중소 상공인들을 위한 소액 대출 서비스, 배송 기사들을 위한 운전자 보험 등 확장할 사업이 무궁무진하게 많다.

그런데 안타깝게도 한국에서는 이런 승차 공유 서비스가 제대로 시행되지 못하고 있다. 쉽게 해결할 수 없는 택시 기사들의 안정적인 수익원의 보장 요구와 고객 중심이 아닌 공급자인 택시 기사들을 위한 정책이라는 반발이 계속해서 갈등을 빚고 있기 때문이다. 특히나 선거철 손님들의 선거 여론에 많은 영향을 끼칠 수 있는 택시 기사들에게 밉보였다가는 살아남을 정당이 없기 때문이다. 그러다 보니 판도라의 상자처럼 승차 공유 서비스에 대해 그 누구도 손을 대지 못하고 있다. 승차 공유 서비스를 통해 발전할 수많은 영역에서 한국이 배제되지는 않을까 걱정이다.

4

소비 행태가 선진국 시장을 닮아간다

VIETNAM

베트남이 빠르게 발전해가고 있지만 시장을 예측하고 흐름을 파악할 수 있는 객관적인 지표와 통계가 매우 부족하다. 그나마 어렵게 구하는 객관적인 자료들은 2~3년 전 수치들이다 보니 하루에도 빠르게 변화하는 베트남 시장 상황을 예측하고 준비하는 데 부족함이 많다. 베트남에 진출한 많은 해외 투자자가 바로 이 객관적 자료 부족 때문에 힘들어하는데 특히나 숫자가 명확하게 나와 있는 정량적인 자료를 선호하는 서양 기업들이 어려움을 많이 호소한다.

하지만 베트남 시장을 유심히 관찰해보면 객관적인 지표로는 드러나지 않지만 소비 행태가 점점 선진국 시장을 닮아가고 있고 삶의 수준이 높아지고 있음을 짐작하게 하는 모습들이 있다.

베트남 반려동물 시장이 급성장하고 있다

전 세계적인 코로나 팬데믹으로 집에 갇혀 있는 시간이 늘어나면서 일시적인 유행으로 반려동물을 기르는 사람들이 늘어난 적

베트남 반려동물 시장 성장세

구분	2016년	2017년	2018년	2019년	2016년 대비 2019년 증가율
국내총생산 성장률	6.21%	6.81%	7.08%	7.02%	22.40%
반려견 개체 수 (만 마리)	485	502	525	551	13.7%
반려견 용품 판매액 (백만 달러)	1,179	1,341	1,517	1,710	45.1%

(출처: 코트라KOTRA 호찌민 무역관, "베트남도 펫코노미시대, 반려동물 관련 산업 성장세")

이 있었다. 하지만 베트남은 코로나 팬데믹과 상관없이 소득 수준이 늘어나면서 반려동물을 키우는 사람들이 늘어나고 있는 것으로 해석된다. 즉 코로나 팬데믹과 반려동물 증가의 상관관계가 특별히 없어 보인다. 최근 2~3년 전부터 베트남 중상류층 거주지를 중심으로 반려견과 산책하는 베트남 사람들이 늘기 시작하더니 최근에는 호찌민 시내 곳곳에 펫 용품 매장, 펫 미용샵, 펫 호텔 등이 눈에 띄게 늘었다. 가격도 100~200만 원 하는 해외 견종들이 주를 이루고 있어 베트남 경제가 발전하면서 반려동물 시장도 성장하고 있을 것으로 추정하고 자료를 찾아보았다.

세계적인 시장조사기관 유로모니터Euromonitor 자료를 코트라 KOTRA 호찌민 무역관에서 정리한 보고서에 따르면 2016~2019년 3년 동안 반려견 개체 수는 13.7퍼센트 늘었으며 반려견 용품 시장은 45.1퍼센트 성장으로 반려견 증가보다 3배 더 성장했다. 사람들의 먹을 것을 걱정하던 빈곤국에서 소득 수준이 늘어 반려동물을 위해 다양한 비용을 지출하는 중진국의 모습이 보이기 시작한 것이다.

베트남 시내에서 강아지가 오토바이를 타고 이동하고 있다.

베트남 유학생 수는 꾸준히 늘고 있다

베트남 반려동물 시장이 커지는 것과 베트남 경제 성장이 궤를 같이하는 듯 보인다. 다른 한편으로 베트남 사람들의 실제 소득이 많이 증가했다는 것을 간접적으로 확인할 수 있는 것이 해외 유학생 수의 증가이다. 한국에서도 해외 유학을 보내려면 많은 돈이 들어가는데 베트남에서 서구권 국가로 유학을 보내려면 소득 수준이 꽤나 상당해야 가능하다.

2019년 11월 국제교육협회IIE의 연례 보고서에 따르면 미국에서 공부하는 베트남 유학생 수가 18년 동안 계속 증가하고 있다. 2020년 11월 발표에 따르면 베트남 유학생은 2만 3,777명으로 미국 전체 유학생의 6위를 차지했다. 캐나다 이민국 자료에서도 캐나다로 유학 간 베트남 국적자가 2016년 5,320명에서 2017년 9,875명, 2018년 1만 2,385명, 2019년 1만 1,685명으로 늘어나 2016년 대비 2019년에 유학생 수가 119.6퍼센트가 증가했다.

베트남 성장률과 캐나다로 유학 간 베트남 국적자

구분	2016년	2017년	201년8	2019년	2016년 대비 2019년 증가율
국내총생산 성장률	6.21%	6.81%	7.08%	7.02%	22.40%
캐나다 유학 신규 베트남 국적자	5,320명	9,875명	12,385명	11,685명	119.6%

(출처: 캐나다 이민국)

유학생 증가 숫자에서 또 한 가지 추정할 수 있는 것은 서구 선진국에서 유학하다가 베트남으로 복귀한 젊은층들이 베트남 소비문화를 빠르게 변화시키고 있는 주요 요소라는 것이다. 베트남 식음료 시장, 화장품 시장, 여행 시장 등이 급격히 변화하고 있다. 직감적으로는 해외 유학생 수의 증가와 연관이 있을 것으로 추정하고 있으나 직접적인 연관성을 정량적으로 증명하는 자료는 몇 년이 지나야 나올 것으로 보인다.

그렇다면 베트남 소득 수준 성장에 따라 동반 성장하고 있을 것으로 가늠할 수 있는 또 다른 업종들은 무엇이 있을까? 필자가 몇 년간 지켜보고 있는 식품 산업을 소개한다.

신선식품과 유기농 식품 시장이 커지고 있다

2018년경부터 호찌민 도심 곳곳에 유기농 식자재 매장, 유기농 과일 전문점, 유기농 식당들이 하나둘 생기더니 대형 할인점 내에도 유기농 과일을 별도로 진열한 공간이 늘고 있다. 시장 점유율 41퍼센트로 베트남 1위 슈퍼마켓 체인인 꿉마트Co.opmart는 최근 최고급 슈퍼마켓인 파인라이프Finelife 4개 매장을 개장하고 과일, 채소,

콜드체인

신선식품 시장이 커지면 자연스럽게 신선식품을 배송할 수 있는 냉장·냉동 물류인 콜드체인 시장이 덩달아 커질 수밖에 없다.

유제품은 물론 화장품 같은 공산품까지 1만 7,000여 개의 유기농 제품을 판매하기 시작했다. 1인당 국민소득이 이제 막 4,000달러가 된 곳에서 정말 이런 고급 시장이 성장하는 것이 맞느냐고 의구심을 갖는 분들도 있을 것이다. 하지만 이 시장에 대한 수치화된 보고서가 나올 때 즈음에는 누구나 알 만큼 시장은 커져 있을 것이다.

유기농까지는 아니지만 베트남 소비 트렌드를 빨리 읽은 유통업체가 신선하고 깨끗하게 손질된 농수산물을 공급하며 성업 중이다. 베트남 1위 핸드폰, 전자제품 유통·판매업체 모바일월드는 2018년 신선식품 전문 유통업체 박호아싼Bach Hoa Xanh을 론칭해 2019년 600여 개, 2020년 700여 개 신규 점포를 연달아 개장하며 2020년 1,719개 점포에서 21조 2,600억 동(약 1조 620억)의 매출을 기록했다. 수산물과 축산물을 냉장, 냉동으로 보관하지 않고 판매하는 비위생적인 재래시장에서 농·축·수산물을 구매하는 베트

신선식품 전문 유통업체 박호아싼

남 고객들의 구매 패턴을 바꾸겠다며 150~200제곱미터(45~60평) 규모의 중소형 슈퍼마켓 형태로 신선한 식자재를 공급하고 있다.

신선식품 시장과 함께 콜드체인 시장이 커진다

이렇게 고객들의 소득 수준이 높아지고 신선식품 시장이 커지면 자연스럽게 신선식품을 배송할 수 있는 냉장·냉동 물류인 콜드체인 시장이 덩달아 커질 수밖에 없다. 태동한 지 얼마 안 된 베트남 편의점 산업도 콜드체인 산업 성장에 한몫하고 있다. 인구 5,000만 명의 한국 편의점 수가 약 5만 개인데 인구 1억 명의 베트남 편의점 수가 3,000여 개이니 앞으로 최소 한국만큼의 편의점 수가 생길 것으로 보인다.

이렇게 적어 놓으면 딱히 와닿지 않을 텐데 필자 개인 경험을 이야기하고자 한다. 이제 13년째 베트남에서 살고 있는데 이곳에서 쉽사리 신선한 우유를 사 먹을 수 있는 환경이 된 지 5년 정도밖에 안 됐다. 영세한 동네 슈퍼마켓에서는 냉장고가 부족해 유통기한이 2개월이 넘는 멸균우유만 판매했고 그나마 대형 할인점에서나 우유를 살 수 있는데 가격은 1리터에 우리 돈 2,500원가량으로 한국과 가격 차이가 없다. 공장 노동자 월급이 25만 원이니 베트남 물가 수준을 고려하면 우유는 꽤 비싼 식품이다. 최근 5년 사이 편의점들이 급격히 늘어나면서 그나마 신선한 우유가 공급되기 시작했지만 어디까지나 호찌민 같은 1위 경제 도시에서의 일이다.

베트남 경제가 성장할수록 덩달아 성장할 수밖에 없는 산업들이 줄지어 있다. 하지만 베트남에서 앞으로 잘될 사업이라고 예측하고 미리 준비했다고 해서 무조건 성공하는 것은 아니다. 베트남에서는 무엇을 하느냐보다 어떻게 하느냐가 더욱 중요하기 때문이다.

5

스타벅스가 고전하는 이유가 있다

VIETNAM

음식에는 그 나라의 역사, 문화, 관습, 기후, 사회현상 등 수많은 것이 반영되어 있어 음식 자체가 그 민족과 나라의 압축판이기도 하다. 그래서 식음료 산업 트렌드를 보면 그 나라의 속 모습을 엿볼 수 있다.

2013년 스타벅스가 베트남에 진출했을 때 식음료업계는 초긴장 상태였다. 말 그대로 세계적인 커피 브랜드가 드디어 베트남에 들어왔으니 산업계 판도가 뒤집힐 것이라는 우려 때문이었다. 일찌감치 베트남에 자리잡고 있었던 커피빈은 주요 상권에 신규 매장을 열면서 공격적으로 대응했다. 베트남 1위 커피 체인점인 하이랜드 커피 **Highland Coffee**는 메뉴를 새 단장하고 적극적인 할인 행사를 했다. 드디어 스타벅스 베트남 1호 매장이 개장하자 연예인들과 유명 인사들로 북적이는 말 그대로 핫 플레이스가 되었다. 하지만 그 인기는 3개월을 못 갔고 스타벅스는 2년간 10개 매장을 운영하는 것에 그쳤다.

2023년 5월 기준 베트남 커피전문점 개수

순위	브랜드 명	매장 수(개)
1	하이랜드 커피	573
2	더 커피 하우스	154
3	푹 롱	118
4	스타벅스	97
5	쯩 우웬 레전드	95
6	파씨오 커피	80
7	콩 카페	54
8	카티낫	41
9	카페 아마존	15
10	커피빈	18

(출처: 스태티스타)

시장조사기관 유로모니터에 따르면 스타벅스는 2019년 7,830억 동(390억 원)의 매출을 기록하며 4등 푹 롱Phuc Long과 40억 동 (2억 원) 차이로 베트남 전체 커피 체인점 시장에서 아슬아슬한 3위 에 랭크되었다. 1위 업체인 하이랜드 커피는 2조 2,000억 동 (1,100억 원)의 매출을 기록해 스타벅스와 3배 가까이 차이가 났다. 2020~2022년은 코로나19 대위기로 인해 식음료업계 매출이 곤 두박질쳤으니 이 시기의 매출을 비교하는 것은 무의미하다. 그럼에 도 푹 롱은 식품 기업 마산의 인수로 슈퍼마켓 체인 안에까지 점포 를 확장하면서 현재 매출이 대폭 늘어나 스타벅스의 순위는 4위로 밀려났다.

글로벌 커피 공룡 스타벅스는 2023년 5월 기준 97개 매장을 운영 하고 있으며 2023년 내 100개 매장 개장을 공식 선언했다. 하지만 2023년 3월 기준 아세안 주요 6개국의 스타벅스 매장 수를 볼 때 인도네시아는 540개, 태국 454개, 필리핀 427개, 말레이시아 373개, 싱가포르 149개인 것을 고려하면 스타벅스가 아직 베트남에서 좋은 성적을 거두고 있지 못한 것은 분명하다.

고객에게는 정서적 적정 가격이 있다

많은 시장 전문가가 베트남 고객들의 소득이 낮아서 비싼 스타벅스 커피를 마실 형편이 못 된다고 말한다. 베트남 길거리에서 판매하는 커피는 1만 5,000~2만 5,000동(750~1,400원)가량인데 베트남 스타벅스의 아메리카노 톨 사이즈는 3배가량 더 비싼 6만 5,000동(3,300원)이다.

그런데 '스타벅스 커피가 비싸다'는 표현은 맞기도 하고 틀리기도 하다. 커피 값의 절대적인 금액보다는 정서적인 금액이 비싸기 때문이다. 사람마다 '정서적 적정 가격'이라는 기준이 존재하는데 우리 식으로 표현하자면 한 줄에 2,000원 하는 김밥을 미국 파라다이스 김밥이라는 브랜드가 6,000원에 판다면 당연히 비싸다는 말이 나올 수밖에 없다. 하지만 그것이 우리가 6,000원을 소비하지 못할 정도로 낮은 소득의 국가라는 뜻은 아니다. 게다가 베트남 현지 브랜드 커피 전문점에서 판매하는 아메리카노는 스타벅스 가격과 차이가 없거나 일부 매장은 오히려 더 비싸다. 그렇다면 베트남 현지 브랜드 커피 전문점이 스타벅스보다 더 인기 있는 이유는 무엇일까?

베트남에서 스타벅스가 고전을 면치 못하는 또 다른 이유는 100년이 넘는 베트남만의 커피 문화 때문이다. '커피' 하면 많은 사람이 아프리카 에티오피아나 남미 콜롬비아를 떠올리지만 의외로 베트남은 세계 2위의 커피 원두 수출국이다. 1857년 프랑스 선교사들에 의해 커피나무가 들어와 재배된 이래 커피는 쌀과 함께 베트남의 주요 수출 품목이자 베트남의 상징이다. 베트남 어느 길거리에서나 로컬 카페들이 즐비하고 골목길에서 우리나라의 목욕탕 의자 같은 작은 의자에 앉아 커피를 즐기는 사람들의 모습은 일상적인 풍경이다. 베트남의 커피는 쓰고 신맛이 강한 로부스타이다. 그런데 베트남 스타벅스에서 사용하는 원두는 부드러운 맛의 아라비카이다. 맛의 균질화를 위해 본사에서 공급하는 원두를 사용하는 브랜드 전략인 것인데 베트남 사람들 머릿속에 있는 커피와는 동떨어진 것이다. 게다가 베트남 사람들은 로부스타의 쓴맛을 중화하고 지치기 쉬운 더운 열대 지방에서 버텨내기 위해 진하게 달콤한 연유를 커피에 듬뿍 넣어서 마신다. 아무리 스타벅스 원두가 더 고급이라고 이야기해도 고객 입맛에 안 맞으면 선택받을 길이 없다.

그래서 스타벅스를 찾는 베트남 고객들은 커피보다는 알록달록한 그린티라테나 달달한 티 음료들을 주로 주문한다. 일부 전문가들이 베트남에서 스타벅스 매출이 저조한 이유가 국민소득이 낮아서라고 하는데 베트남 티 음료들은 커피보다 가격이 더 높아 적절한 설명이 안 된다. 메인 음료인 커피는 잘 안 팔리고 부가적인 메뉴들이 잘 팔리니 스타벅스도 고민이 많다. 베트남 고객들이 스타벅스에서 음료를 마실 경제적 수준은 충분히 되지만 커피는 외면당하는 것이다. '스타벅스=커피'인데 커피가 잘 안 팔리고 다른 음료가 주로 팔린다는 것은 업체 입장에서는 답답할 노릇이다. 스타벅스만큼이나 매출이 더디고 메인 상품이 안 팔려서 답답한 식품업체들이 있으니 바로 맥도날드와 버거킹이다.

글로벌 패스트 푸드 브랜드들이 고전 중이다

2014년 햄버거의 대명사 맥도날드가 호찌민에 1호점을 개장할 때 커피 업계처럼 패스트푸드 업계도 술렁였다. 맥도날드 햄버거를 먹겠다며 비행기로 2시간 거리인 하노이에서 호찌민까지 와서 먹고 가는 사람도 있었다. 24시간 운영되던 1호점에는 첫날 24시간 동안 2만 2,500명이 다녀갔고 첫 달에만 40만 명의 고객이 다녀갈 정도로 대성공을 한 것처럼 보였다. 하지만 몇 개월 만에 사람들의 관심 밖 존재가 되었다. 막상 먹어보니 별거 없다는 반응이었다. 2023년 3월 기준으로 맥도날드는 25개 매장, 버거킹은 9개 매장에 그치고 있다.

많은 외신이 베트남 맥도날드의 실패 이유로 '패스트 로컬 푸드'를 꼽는다. 길거리 행상에서나 식당에서 쌀국수를 주문하면 이미 삶아 놓은 면발에 고기 고명을 얹어 국물을 말아내기만 하면 되니 주문한 지 3분이면 테이블에 올려진다. 바쁜 생활 속에서 빠르고 간단하게 먹을 수 있는 햄버거의 특징이 여지없이 깨져버린 것이다. 게다가 베트남에는 100년 전통의 바게트 샌드위치 반미**Banh Mi**가 있다. 베트남 고객들에게 햄버거는 반미보다 3배 이상 비싼 짝퉁으로 인식되고 있다. 햄버거 마니아의 사랑을 받는 버거킹은 현재 베트남 전체에 9개 매장만 남았다. 최근 한국에서 큰 인기를 끌고 있는 샌드위치 브랜드 서브웨이**Subway**는 베트남에서 아예 철수했다.

하지만 단순하게 베트남 로컬 푸드 때문에 맥도날드가 실패했다고 하기에는 KFC의 성공과 롯데리아의 선전을 설명할 수 없는 문제가 있다. 1997년에 진출해 2023년 153개 매장을 운영 중인 KFC, 1998년에 진출해 200여 개 매장을 운영 중인 롯데리아는

베트남 KFC의 치킨 미역국

(출처: KFC 홈페이지)

베트남 패스트푸드 업계에서 1, 2등을 다투고 있다. 맥도날드와 버거킹의 실패 속에 더욱 돋보이는 KFC와 롯데리아 성공 비결은 과감하게 브랜드 아이덴티티를 버리고 현지인 고객이 좋아하는 '닭고기' 메뉴에 집중했다는 것이다.

KFC는 메인 상품이 '치킨버거'이지만 버거 자체에 관심이 없는 고객들을 위해 '치킨+밥' 메뉴를 선보였다. 최근에는 치킨 덮밥, 치킨텐더 마키와 같은 다양한 치킨 메뉴까지 만들어 시장을 공략하고 있다. KFC는 계속해서 실험적인 메뉴를 만들어내고 있는데 최근에는 '치킨 미역국'을 내놓기까지 했다. 한국식 미역국을 건강식으로 즐겨 먹는 베트남 사람들의 식성을 파악해 만든 메뉴도 과감하게 내놓았다.

맥도날드 생일파티

맥도날드에서 생일 파티를 하고 있는 베트남 아이들과 부모들이다.

롯데리아 역시 '불고기버거' '새우버거'와 같은 한국에서 인기 있는 메뉴에 집중하다가 베트남 고객 입맛에 맞는 치킨 메뉴에 밥은 없은 '치(킨)밥' 메뉴를 판매하고 있다. 맥도날드도 베트남 소비자 식성에 맞는 스페셜 메뉴를 내놓았는데 '포Pho버거'라는 베트남 쌀국수 맛 햄버거이다. 베트남 쌀국수에 고수와 각종 향 나는 채소를 잔뜩 집어넣은 국물 맛의 햄버거인데 대실패하고 말았다. 방향을 잘못 잡아도 한참 잘못 잡은 것이다.

그런데 근래 베트남 시장은 파악하기 어려울 정도로 가파르게 변하고 있다. 해외에서 유학하던 MZ세대가 코로나19 때문에 대거 복귀하면서 소비 시장의 변화를 주도하고 있다. 그들은 베트남 스타일의 진한 커피 대신 콜드브루나 아메리카노나 호주식의 롱블랙 Long Black과 같은 연한 커피 시장을 확산시키고 있다. 새로운 것을 쉽게 받아들이는 또래 고객들에 의해 시장은 더욱 빠르게 변화하고 있다. 주로 베트남 중상류층 밀집 거주 지역과 도심 금융 기업 밀집 지역에서 이런 변화가 확연히 드러난다. 텀블러를 들고 와서 커피를 받아가는 사람들도 늘어나고 있다.

필자는 스타벅스가 개장한 이래 스타벅스에서 커피 주문 대 커피가 아닌 음료 주문 비율을 주목해왔는데 대체로 3:7로 나타났다. 하지만 글로벌 기업이나 대형 금융기관이 밀집된 지역에 있는 매장에서는 5:5로 달라지고 직장인들이 몰리는 점심시간에는 커피 비율이 7까지 올라간다. 특히 소득 수준이 높은 사람들이 거주하는 지역에 있는 스타벅스 매장에서 커피 주문 비율은 대체로 5를 상회한다. 게다가 이 지역 주말 아침 맥도날드에는 어린아이들을 데리고 식사하는 부모들로 가득하다. 아직 베트남 전체 시장으로 이런 현상이 확산된 것은 아니지만 유행하기 시작하면 삽시간에 변화하는 것이 음식 트렌드이다.

베트남 시장은 이제 풍부한 상상력을 발휘해서 예측해야 할 만큼 빠르게 변하고 있다.

6

쌀국수에는 베트남의 현대사가 담겨 있다

VIETNAM

    베트남을 대표하는 음식으로는 미국 뉴요커들의 인기 점심 메뉴인 바게트 샌드위치 반미**Banh Mi**와 오바마 전 미국 대통령이 베트남을 방문했을 때 먹어 유명해진 분짜**Bun Cha** 등 먹음직스러운 것들이 많이 있다. 하지만 단연코 전 세계적으로 가장 널리 알려진 베트남 음식은 우리가 흔히 '베트남 쌀국수'라 부르는 포다. 젓가락질을 잘해야만 맛있게 먹을 수 있는 음식임에도 젓가락질에 서툰 유럽과 북미인들 사이에서 소울푸드로 자리잡은 포에는 베트남 현대사가 한가득 담겨 있다.

포는 프랑스 식민 지배의 산물이다

    쌀국수 포의 기원은 정확하게 알려진 것은 없으나 베트남이 프랑스 식민 지배를 받던 1898년 북부 남딘**Nam Dinh** 지역에서 시작되었다고 보는 설이 유력하다. 남딘 지역에 인도차이나반도에서 가장 큰 섬유 공장 건설이 시작되면서 일자리를 찾아 전국에서 몰려든

수만 명의 노동자들을 상대로 한 음식 장사가 성황을 이루었다. 당시 남딘 지역에서 먹던 쌀국수에는 각종 채소와 논에서 잡은 민물게가 들어 있었다. 섬유 공장 건설을 위해 파견 온 프랑스인들은 자신들의 입맛에 맞게 쌀국수에 소고기를 넣어 만들어줄 것을 요청했다. 농경 국가인 베트남은 소를 함부로 도축할 수 없었는데 프랑스인들이 먹는 방식을 따라 소 살코기를 고명으로 얹어 먹어보니 새로운 세상의 맛이었다. 소고기 쌀국수는 이때부터 시작되었다는 것이 정설이다.

베트남 쌀국수 이름인 포도 프랑스인들이 늘 먹는 소고기 채소 스튜인 포토푀pot au feu에서 파생됐을 것으로 추측된다. 베트남 북부 지역에 살고 있던 중국 광둥 지역 출신 화교들이 먹는 넓적한 쌀국수 '허펀河粉(중국 광둥 발음)'에서 파생돼 포라고 표기했다는 설도 있다. 실제로 베트남에 사는 화교들이 운영하는 쌀국수 식당에는 한자로 '河粉'이라고 표기돼 있다.

사실 베트남 사람들은 포 명칭이 어디에서 유래했는지는 별 관심이 없다. 식민지 시대 프랑스의 영향을 받았든 뼛속 깊은 불신 국가 중국에서 유래됐든 상관없이 전 국민이 즐겨 먹는 음식이면 그것 역시 또 하나의 베트남이기 때문이다. 실용적이고 개방된 마음으로 새로운 것을 받아들이는 베트남 사람들의 자세가 여기에서도 여실히 드러난다.

포가 국민 음식에서 세계 음식으로 퍼지다

현존하는 기록물 중 '포'라는 단어가 처음 등장한 것은 1906년 응우옌 반 빈Nguyen Van Vinh이라는 사람이 프랑스 파리에서 베트남에 있는 가족에게 보낸 편지에서였다. '파리에서 물건을 파는 소리를 들을 때면 아침마다 포를 팔던 소리가 생생하다'며 고국을 향한 그리움의 매개체로 포를 언급했다. 향수에 젖은 한국인이 해외에서 김치찌개나 된장찌개를 그리워하는 것처럼 포가 당시 베트남 북부 사람들에게는 고향을 떠올리게 하는 소울푸드였던 모양이다.

1913년 프랑스인 화가 모리스 살게**Maurice Salge**가 하노이 길거리에서 쌀국수를 판매하는 행상을 그린 모습도 이채롭다. 쌀국수 식자재와 숯불이 담긴 통을 긴 막대에 연결해 어깨에 메고 다니는 행상들이 1920년대까지 활동하다가 1930년대에 들어서면서부터 전문 쌀국수 식당이 하나둘 열기 시작하면서 포는 말 그대로 베트남 국민 음식으로 등극하게 된다. 1954년 베트남은 프랑스와의 전쟁에서 승리했지만 제네바 협정에 따라 북베트남과 남베트남으로 분단된다. 공산 정권을 피해 수많은 사람이 남쪽으로 피란을 가면서 북부의 국민 음식 포가 본격적으로 남부에 대유행하는 계기가 되었다. 남부에서 포의 인기는 북부에 비해 뜨뜻미지근했는데 아이러니하게 국토 분단으로 포가 남부 곳곳에 유행하게 된 것이다. 마치 한국의 남북 분단과 6·25전쟁으로 피란민을 통해 평양냉면이 남한 곳곳에 퍼진 것과 꼭 같은 상황이 펼쳐지게 된 셈이다.

베트남은 남북이 1,650킬로미터로 길게 늘어진 나라이다 보니 겨울과 대륙의 기질이 있는 북부와 1년 내내 덥고 동남아 특유의 개방성이 있는 남부는 식생활이 판이하다. 남부로 내려온 쌀국수는 남쪽의 특성에 맞게 바뀌었다. 북부의 쌀국수는 맑은 고기국물에 간단하게 파와 고기를 얹어 내온다. 반면에 식재료가 풍부한 남부는 뼈를 잔뜩 우려낸 기름진 국물에 숙주와 향이 진한 고수 등 다

베트남 북부와 남부 쌀국수의 차이

북부 스타일
하노이 쌀국수

남부 스타일
호찌민 쌀국수

꽈이Quay라고 하는
튀긴 빵을 함께 먹는다

숙주, 각종 향이
나는 풀을 넣어서 먹는다

양한 향채를 넣어 먹는다. 한국 사람들이 라면을 끓일 때 수프만 넣고 끓이는 전통파와 치즈와 달걀 등 다양한 식재료를 넣어 먹는 개혁파가 서로 논쟁하듯 북부 사람들과 남부 사람들은 서로의 쌀국수 조리 방식이 더 맛있다고 자존심을 내세운다. 하지만 대체적으로 베트남 사람들은 각 지역의 다양성을 널리 수용한다.

1975년 미국이 전쟁에서 패하고 베트남이 통일되자 200만 명의 보트피플이라 불리는 사람들이 베트남에서 도망 나왔다. 그들이 태국, 말레이시아, 홍콩 등지의 피난민 수용소에서 머물다 미국으로, 호주로, 프랑스로 세계 곳곳에 자리를 잡으면서 시작한 일이 쌀국수 식당이다. 부지런하고 성실한 베트남 사람들은 새로운 환경 속에서도 열심히 일했다. 북미와 유럽 곳곳에 쌀국수 식당이 늘어났고 현지인들에게 인기를 끌었다. 베트남 남부에서 다양한 식재료를 개방적으로 사용하던 사람들답게 각 나라의 환경에 맞게 다양한 식재료를 추가하며 현지화했다. 지금도 세계 각국의 지역 언론에서는 자신의 지역에서 가장 맛있는 쌀국수 식당이 어디인지를 다루는 특집 기사를 낸다.

베트남 쌀국수 포는 베트남 현대사를 고스란히 반영하는 음식이다. 프랑스 식민지 영향으로 탄생한 포는 베트남 북부 지역에서만 유행하던 음식이었지만 그 후 전쟁으로 남부 지역으로 확산했다가 전쟁이 끝나자 전 세계로 퍼졌다. 이제는 전 세계 곳곳에서 인기 메뉴로 자리잡은 모습이 세계 곳곳에서 맹활약하는 베트남 사람들의 머지않은 미래를 보는 것 같아 기대감을 가지게 한다. 음식은 그 나라의 문화, 역사, 사람들의 모습을 고스란히 담고 있으니까 말이다.

⭐ 당신이 몰랐던 베트남

왜 베트남에서는 팥빙수와 냉면이 안 팔릴까?

베트남을 찾아오는 많은 분이 하는 말씀이 있다. "더운 나라니까 팥빙수랑 냉면이 잘 팔리겠다." 사람들의 생각은 비슷한 것 같다. 실제로 많은 분이 베트남에서 팥빙수나 냉면 사업을 했지만 번번이 실패의 쓴맛을 봤다.

더운 나라 사람들인데 왜 팥빙수와 냉면을 안 좋아할까? 베트남 사람들이 커피에 얼음을 잔뜩 넣고 달달한 연유를 넣어서 먹는 것을 보면 차가운 음식 자체를 안 먹는 것 같지는 않은데 말이다. 그렇다고 김치도 직접 담가 먹고 미역국이 건강식으로 유행하는 베트남에서 한국 음식을 싫어해서는 더더욱 아닐 것 같다.

필자에게도 베트남에서 팥빙수와 냉면이 팔리지 않는 이유가 오랫동안 가장 풀리지 않는 궁금증 중 하나였다. 베트남에서 좀 살았다 하는 한국인들끼리 한국은 사계절이 있어서 무더운 여름에 시원한 음식을 먹으면서 추운 겨울의 기억을 떠올리는데 베트남은 겨울이 없어서 안 팔리는 것으로 추정하기도 했다.

하지만 베트남 남부는 1년 내내 덥지만 하노이를 비롯한 베트남 북부는 영상 10도 미만으로 내려가는 나름의 겨울이 있다. 그래서 베트남 친구들에게 물어보면 한결같이 "음식은 따뜻하게 해서 먹어야 맛있으니까."라는 허무하지만 당연한 답을 들었다. 그런데 잘 생각해보면 베트남을 상징하는 음식인 쌀국수는 뜨끈뜨끈한 국물에 말아 나오지 않은가?

우리가 한국인의 눈으로 베트남 시장을 바라보니 해답이 나오지

호찌민에서 인기 있는 돌솥쌀국수

않았던 것이다. 음식은 따뜻하게 먹는 것인데 말이다. 그래서 그런지 베트남 사람들은 한국 음식 중에 일반 비빔밥보다 돌솥비빔밥을 더 좋아한다. 지금도 베트남 사람들이 돌솥비빔밥을 좋아한다고 하니 '더운 나라 사람이니까 뜨거운 음식을 싫어하지 않을까?'라고 생각하는가?

최근 2~3년 사이에 베트남 중상류층에서 돌솥쌀국수가 유행이다. 일반 길거리 쌀국수 가게에서 파는 가격이 3.5만~5만 동으로 우리 돈 1,700~2,500원이다. 이 돌솥쌀국수는 파는 집에 따라 10만~25만 동으로 우리 돈 5,000~1만 3,000원이다. 필자의 베트남 친구의 답변을 반복하면 "음식은 따뜻하게 해서 먹어야 맛있으니까." 돌솥에 담긴 음식은 오랫동안 따뜻하게 먹을 수 있어서 좋아한다고 한다.

이 지점에서 재미있는 이야기 하나 해볼까 한다. 베트남 사람들이 비빔밥을 먹을 때 우리처럼 고추장 한 숟가락 듬뿍 넣고 쓱싹 비벼 먹지 않고 덮밥처럼 먹는 경우가 많다. 물론 한국을 잘 알고 한국 드라마를 많이 본 젊은 친구 중에는 필자보다도 더 맵게 고추장을 넣어서 비벼 먹기도 한다.

그런데 비빔밥은 말 그대로 밥을 비벼 먹는 음식이어서 비벼 먹지 않으면 그것은 비빔밥이 아니다. 그러다 보니 한국인으로서는 낯설고 뭔가 제대로 밥을 먹지 않는 것 같아서 심기가 불편해진다. 베트남 사람뿐만 아니라 외국인의 상당수는 비빔밥을 비벼 먹지 않고 덮밥처럼 먹는다. 고추장을 넣지 않고 간장에 비벼 먹기도 하고 소스 바르듯이 밥 일부에만 고추장을 바르고 나머지는 고추장 없이 먹고 본인 스타일에 따라 다양하게 먹는다.

우리가 해외 시장을 바라볼 때 중요한 것이 바로 이 지점이다. 우리에게는 상식이지만 다른 이들에게는 아닐 수 있다. 우리 기업들이 해외 시장에서 제품을 판매할 때 꼭 우리 방식을 고집할 필요는 없다. 우리가 생각하지 않았던 방향으로 전개되는 것이 보다 좋은 결과가 나온다면 그 방향으로 가야 한다.

우리는 스파게티를 먹을 때 포크와 스푼을 함께 써서 먹는다. 우리뿐만 아니라 대부분의 나라에서 이렇게 먹는다. 그러나 스파게티의 원조 국가 이탈리아에서는 이 방식을 매우 혐오한다. 경박스럽게 포크와 스푼을 함께 써서 스파게티를 먹을 수 있느냐며 말이다. 이탈리아에서는 포크 하나만으로 먹는 것이 정석이라고 한다. 그러나 인근 유럽 국가들마저도 스푼과 함께 써서 먹어야 편한데 무슨 상관이냐며 지금도 논쟁이라고 한다.

그래도 비빔밥인데 비벼 먹어야지! 하시는 분이 여전히 있을 것 같다. 그럼 우리의 영원한 논쟁거리인 탕수육은 부먹인가 찍먹인가는 어떤가? 비빔밥은 비벼 먹어야 한다고 하지만 탕수육은 찍먹이라 외치는 분은 없는가? 탕수육은 본래 부먹으로 만들어졌지만 무슨 상관인가. 내가 맛있게 먹으면 되는 것을. 마찬가지로 한국에서의 상식이 베트남에서는 아닐 수 있다.

5장

베트남 진출 전략

인트로

VIETNAM

베트남에 진출할 때 알고 가면 좋은 것은 한없이 많다. 하지만 지나치게 많이 알고 가면 오히려 도움이 안 되는 수도 있다. 하지만 다른 무엇보다 베트남에 진출하려는 분들에게 필자가 꼭 강조하는 것은 '여행자 보험'을 가입하라는 것이다. 필자가 하도 강조하다 보니 보험업을 하느냐고 묻는 분들이 있을 정도인데 정말 꼭 필요하다. 의외로 대기업인데도 주재원들에게 여행자 보험을 가입해주지 않는 곳들이 많다. 기업들이 해외로 직원들을 보내면서도 베트남이 소득 수준이 낮은 국가이니 병원비도 저렴하겠거니 하는 안일한 생각에서 보험 가입을 지원하지 않는 것이다. 하지만 저개발국일수록 외국인 의사나 한국인 의사가 근무하는 병원의 치료비는 매우 비싸다.

우리야 한국에서 의료보험 혜택 덕분에 실제 치료비의 10퍼센트 내외만 부담하니 외국인으로서 내는 치료비를 잘 모른다. 베트남에서 외국인 의사나 한국인 의사에게 감기 때문에 치료를 받으면 100~150달러(13만~18만 원)까지 지불해야 한다. 외국인 의사가 근무하는 국제 병원의 응급실에서 24시간 머물면 2,000~3,000달러(260만~390만 원)는 순식간이다. 현지 병원을 가면 되지 않느냐고 하지만 현지 병원에서는 의사소통도 어렵고 기나긴 줄을 기다리기도 어렵고 한국인이 원하는 수준의 치료는 기대할 수도 없다. 해외 여행자 보험은 국내 손해보험 회사들의 홈페이지를 통해 가입하면 저렴하다. 연령과 건강 상태, 보험 보장 내역에 따라 다르긴 하지만 1년에 50만 원에서 90만 원 수준이다. 한 달에 5만~8만 원꼴이라 비용이 부담되지도 않는다.

코로나 팬데믹 기간 중에 코로나에 감염되어 사경을 헤매는 직원을 구하기 위해 1억 5,000만 원이나 되는 앰뷸런스 비행기 비용을 회사가 지불해주었다고 훈훈한 사연처럼 보도되는 것을 보고 씁쓸했다. 왜냐하면 해당 서비스는 여행자 보험에서 특약 형태로 가입하면 앰뷸런스 이용료가 어느 정도 보장되기도 하고 인터내셔널SOS International SOS라고 하는 글로벌 임직원 안전관리업체에 가입하면 앰뷸런스 비행기가 무료이기 때문이다. 가입비도 1년에 200만 원이 안 된다. 코이카 단원들처럼 오지에서 활동하는 분들에게는 이런 서비스를 필수로 가입해준다. 글로벌 사업을 오랫동안 해온 국내 일부 대기업들도 해외 파견 직원과 출장자들에게 가입해준다. 막연하게 회사가 직원들을 위해 이런 서비스를 해주어야 한다고 말해봐야 귀담아듣지를 않는다. 하지만 이런 보험과 서비스에 가입하는 것이 회사 입장에서는 비용 측면에서 오히려 손해가 전혀 아니라는 것이다. 현실적인 이야기를 하면 오지에서 직원이 큰 부상을 당해서 의료 수준이 괜찮은 인근 국가나 한국으로 긴급 후송해야 할 때 치료비가 비교할 수 없이 훨씬 높기 때문이다.

이 책의 마지막 파트인 이번 장에서는 베트남에 대한 오해와 진출 시 도움이 되는 팁들을 알려드린다. 베트남을 포함한 아세안 국가에 진출할 때 못사는 나라라고 무시하고 쉽게 생각하면 실패는 불 보듯 뻔하다는 자명한 진리를 꼭 명심하길 바란다.

1

왜 대기업도 상권 분석에 실패할까

VIETNAM

베트남에 진출하려는 식음료 기업과 화장품, 의류, 유아용품 판매업체와 자영업자들이 많다. 이 책이 그분들에게 조금이라도 도움이 되길 바라며 베트남 상권을 분석하는 알짜배기 팁을 드린다. 한국에서 상권 분석의 초절정 전문가들도 실패하는 곳이 베트남인데 그 이유는 우리와 상권 자체가 완전히 다르기 때문이다.

한국에서 상권 분석으로는 최고로 평가받는 모 식음료 기업이 베트남에서 좋은 성적을 거두지 못하고 있는데 해당 기업이 추구하는 브랜드 가치가 베트남 상권에 맞지 않아서가 아닐까 싶다. 미국과 싱가포르에서 좋은 실적을 거두고 있는 것으로 알려져 있을지라도 베트남 현지에서 좋은 상권이라 추천하는 장소들이 한국 기준으로는 도저히 납득되지 않기 때문일 것이다. 이 책에서 여러 번 강조하지만 '한국에서 상식이 베트남에서는 아닐 수 있다'는 것을 항상 잊지 말아야 한다.

베트남에는 역세권이 없다!

싱가포르, 말레이시아, 태국, 인도네시아, 필리핀 등 아세안 주요 5개국의 쇼핑몰들은 전철, 버스 노선이 잘 연결되어 있는 쇼핑몰 상권이다. 특히나 국가 전반적으로 부족한 대중교통 수단이 쇼핑몰과는 쉽게 연결된 데서는 쇼핑몰의 주인들인 화교 재벌들과 정권의 특수한 관계를 짐작할 수 있다. 하지만 베트남은 로드숍 상권이 더 발달했다. 베트남에도 다양한 쇼핑몰들이 생기고 있지만 대중교통이 발전하지 못해 오토바이 주차가 편리한 로드숍 상권이 아직까지는 더 크다. 그렇다고 쇼핑몰에 입점하지 말라는 것이 아니다. 쇼핑몰 자체도 매출이 잘 나오는 주요 상권이지만 다른 아세안 국가들과 달리 쇼핑몰과 로드숍 상권으로 매출이 분산된다는 뜻이다. 베트남에서는 로드숍의 오토바이 상권을 잘 파악하는 것이 제일 중요하다.

1. 오토바이 상권

한국은 사람들이 길을 걷다가 예뻐 보이거나 먹고 싶은 것이 있으면 충동 구매하기가 좋은 '걸어 다니는 상권'이다. 게다가 거리 곳곳의 촘촘한 버스와 지하철도 잘 갖추어져 있고 환승 서비스도 잘된다. 하지만 베트남은 2022년 기준으로 등록된 오토바이 대수만 5,300만 대나 되는 오토바이 왕국이다. 그렇기 때문에 점포를 개설할 때 두 가지를 고려해야 한다. 첫째는 오토바이가 쉽게 접근할 수 있는지, 둘째는 오토바이 주차가 쉬운지이다. 이렇게 한국과 베트남의 상권 상황이 다르기 때문에 아무리 한국에서 점포 개발 20년 경력의 전문가가 베트남의 좋은 상권을 찾으려고 해도 실패

퇴근길 상권

할 수밖에 없다. 철저하게 오토바이의 흐름을 감안하고 베트남인의 눈으로 상권을 바라봐야 한다. 필자가 화장품 회사인 아모레퍼시픽에서 근무할 때 이니스프리 출시를 준비하던 한국인 담당자는 주말 저녁과 평일 저녁의 오토바이 유입량을 확인한다며 점포 후보지 근처에 있는 카페에서 2~3시간 동안 지나가는 오토바이 대수를 세기도 했다. 물론 그 결과로 좋은 점포를 개설해 이니스프리는 좋은 매출을 기록하고 있다.

2. 출근길이냐 퇴근길이냐

호찌민이나 하노이의 주요 도로는 정해져 있기 때문에 현지인들 사이에서 익히 알려진 주요 상권을 후보지로 삼는 것은 당연히 훌륭한 상권 분석의 첫 단계이다. 이런 상식적인 방법 이후부터가 중요한데 해당 점포의 위치가 출근길 도로에 있는지, 퇴근길 도로에 있는지를 파악해야만 한다. 음식이나 화장품을 살 때 출근길에 많이 살까? 퇴근길에 많이 살까? 당연히 퇴근길이다. 전 세계 누구나

중앙분리대 없는 도로

직장인은 아침에는 출근하는 것도 버겁다. 만약 아침에 밥을 먹고 출근한다고 하더라도 집 근처에서 먹거나 회사 근처에서 먹지 출근하는 길에 먹기는 쉽지 않다. 정말 유명한 맛집이어서 일부러 들러가는 것이 아니라면 출근길 상권은 매출을 올리기 어렵다. 그래서 오토바이 교통량이 하루에 100만 대가 넘는다 하더라도 부도심에서 도심으로 들어가는 길은 보통 출근길이기 때문에 매출을 올리기가 쉽지 않다.

3. 중앙분리대가 있는가

베트남 도로 곳곳에는 불법 유턴이나 중앙선 침범을 막기 위해 중앙분리대가 설치된 곳들이 많다. 그런 길은 아무리 교통량이 좋아도 좋은 상권으로서 마이너스 50점이라는 것을 감안해야만 한다. 소비자 입장에서는 멀리까지 가서 유턴해서 해당 매장을 찾아가기는 어렵기 때문이다.

4. 상가는 왼쪽보다 오른쪽

베트남 도로는 1~2차선은 자동차 차선, 3~4차선은 오토바이 전용 차선이다. 그리고 도로 체계상 좌회전해서 가는 것보다 우회전해서 가는 길들이 더 많다. 베트남에서 오토바이들을 자세히 보면 사이드 미러가 왼쪽에만 달려 있는 경우가 많다. 사이드 미러는 한쪽만 달고 있어도 불법이 아닌데 이런 도로 체계 때문에 그렇다. 남성 운전자들이 객기 부리느라 사이드 미러를 아예 안 달고 다니기도 하는데 오토바이에 사이드 미러가 2개 다 달려 있으면 운전 미숙자라는 놀림감이 되기도 한다. 그래서 교통량이 아무리 좋을지라도 4차선 일방통행이라면 오른쪽에 있는 점포가 좋은 점포이다.

5. 점포의 폭과 길이

베트남 점포의 폭은 보통 2.5~2.8미터이다. 호찌민이나 하노이의 도심은 프랑스 식민지 시대에 도시가 개발되었기 때문이다. 프랑스 방식으로 도로 점유율에 따라서 세금을 부과하다 보니 도로 점유는 최소화하고 건물 안은 깊게 하고 보통 3~4층으로 높게 지었다. 그래서 한국처럼 앞이 널따랗게 시원하게 트인 점포를 찾기가 어렵다. 한국처럼 전면이 넓은 점포를 찾으려면 옆 건물 2~3개를 함께 계약해서 건물을 터야 하는데 각기 다른 건물주의 요구 때문에 점포 운영에 애를 먹기 일쑤이다.

① 건물을 통째로 빌려야 한다

베트남 상가는 보통 3~5층까지 있는데 필요한 층수는 1~2층까지일지라도 건물을 통째로 빌려야 해서 임대료가 많이 나간다. 보통 1~2층을 상가로 쓰고 3~4층은 창고로 쓰기도 하지만 보통은 쓸 일이 없어서 비워놓는 일이 다반사이다. 다른 곳에 임차를 하고 싶어도 딱히 입점하려고도 안 하기 때문이다. 호찌민의 주요 상권의 상가 평균 임대료는 7,000달러 내외. 우리 돈으로 900만 원이 넘는다. 베트남이 물가가 저렴한 나라라고만 생각하고 진출하면 낭패당하기 십상이다.

② 건물주와 같이 사용할 수도 있다

건물주가 건물의 꼭대기 층인 4층이나 5층에 거주하는 경우가 있다. 필자 역시 실제로 겪어본 일인데 한국인 입장에서는 정말 당황스러운 일들이 많이 발생한다. 건물이 좁다 보니 건물 위로 올라가는 입구는 1개뿐이다. 1층 점포 내부에 있는 계단이나 엘리베이터를 통해서 위층으로 올라가기 때문에 집주인 가족들이 내가 임차한 매장을 통과해서 왔다 갔다 한다. 집주인네 지인들이 방문이라도 하면 먹을 것을 사 들고 와서 손님들 사이로 지나가기도 해서 여간 신경쓰이는 것이 아니다. 집 주인이 왔다 갔다 하는 거야 잠깐이기 때문에 별문제는 안 되는데 문제는 밤에 점포 문을 닫아야 할 때이다. 내 매장에 화장품은 진열되어 있는데 견물생심이라고 집주인이 왔다 갔다 하다가 물건이 없어질 수도 있기 때문이다.

그러다 보니 영업이 끝나면 매장에 진열된 제품들을 잠금 장치가 되어 있는 공간에 넣어두었다가 매일 아침마다 확인을 해야 한다. 그리고 베트남 일반 가정집에서는 오토바이를 집 안으로 들여놓는다. 오토바이를 밖에 놓았다가는 도둑맞을 수 있기 때문이다. 낮에는 매장 경비 아저씨가 관리하니 괜찮은데 저녁에는 내 매장 안으로 오토바이를 들여놔야 한다. 깔끔하고 예쁘게 인테리어를 해놓은 매장 안에 매일 집주인 가족 오토바이를 한두 대씩 들이다 보면 매장 바닥이 지저분해지기 때문에 여간 신경 쓰이는 게 아니다. 집주인과 함께 건물을 사용하면 비용이 좀 더 절감될 수도 있지만 이런 부분이 많이 불편하다는 것을 알아두어야 한다.

6. 귀신이 나오는 점포인지 확인하라

베트남의 모든 집안과 상가에는 제사상이 있다. 종교에 따라 성모 마리아나 부처님 상이 있기도 하지만 보통은 재물신이 놓여 있다. 그래서 아침마다 향을 피우고 술이나 물을 올리고 과일이나 과자를 올려놓는다. 베트남에서는 이걸 하지 않으면 종업원들이 상당히 찝찝해 한다. 그래서 백화점 같은 곳에도 서랍 안에 작게 설치해놓기도 한다. 필자도 베트남에서 처음 근무할 때 매달 회사 비용 처리를 확인하면 점포별로 '제사비용'이 별도로 있어서 당황한 적이 있다. 전국에 있는 매장에 들어가는 제사 물건과 음식 비용이었다.

그런데 베트남 매장에서는 귀신이 나오기도 한다. 동남아 지역이 습해서 풍수지리적으로 음지라 그런지 귀신 나온다는 이야기를 많이 듣게 되는데 필자도 실제로 겪은 일이다. 어느 날 호찌민 매장 한 곳에서 고객이 귀신을 보고 졸도를 했다는 연락이 왔다. 베트남 사람 70퍼센트는 종교가 없는데 기본적으로 도교+불교+민간 신앙이 뒤섞인 종교관을 가지고 있다. 그래서 우리 기준으로는 '미신'이라고 생각할 수 있는 것을 베트남에서는 중시 여긴다. 그렇다고 수천만 원 들여서 인테리어를 했는데 갑자기 매장을 옮길 수 없었다. 그래서 필자는 인터넷을 뒤져 눈이 부리부리하고 무서운 인상을 한

달마 대사 이미지를 찾아서 컬러 프린팅을 해서 매장 곳곳에 붙여두었다. 그게 무슨 효과가 있겠느냐마는 직원과 고객들에게 플라시보 효과라도 있기를 바랐기 때문이다. 효험이 있었는지 그걸 붙이니 귀신이 안 보인다고 좋아했다. 그런데 문제는 그 사건 이후로 베트남 직원들이 내가 무슨 퇴마 의식을 거행하는 무당이라도 되는 줄 아는지 신규 매장을 열 때 길일을 점지해달라는 둥, 실적이 안 좋은 점포는 필자가 길일을 잘못 점지해줘서 그렇다는 둥 엉뚱한 일로 시달리기도 했다.

잠시 옆길로 샜는데 중요한 것은 점포를 운영할 때 베트남 직원들이 불길하게 생각하는 베트남 풍수지리를 확인하고 귀신 이슈나 살인이나 자살 같은 끔찍한 사건이 해당 점포에서 벌어지지는 않았는지 반드시 확인하라는 것이다. 점포를 소개하는 부동산은 당연히 알려주지 않을 것이기 때문에 후보 점포 주변의 노상에서 물건 파는 분이나 다른 점포의 경비 아저씨에게 담배나 음료수를 하나 건네면서 물어보면 다 알 수 있다.

7. 보름달이 떠오르고 비가 오는 날을 확인하라

귀신 이야기를 하다 보름달을 언급하니 베트남에 늑대인간이라도 나타나는 줄 오해할 수도 있겠지만 베트남은 지반이 낮기도 하고 하수 처리 상황이 안 좋다. 그래서 보름달이 떠오르는 음력 1일과 15일에는 강물이 역류해서 하수가 도로 위로 올라온다. 이런 날 비까지 오면 저지대는 허리까지 물이 올라오는 곳들이 많아진다. 그래서 점포를 구할 때 반드시 보름달이 떠오르는 날 하수구에서 물이 얼마나 올라오는지 확인해야만 한다. 심지어 점포 안까지 물

좋은 상권에 필수적으로 자리잡고 있는 브랜드

이 들어오는 곳도 많다.

8. 좋은 상권인지 모를 때는 이 점포들을 찾아라

상권을 찾으러 다니다 보면 좋은 상권마다 항상 자리 잡고 있는 브랜드들이 있다. 특히 로컬 업체인데 상권마다 자리를 잡고 있다면 1차적으로 좋은 상권이라는 것을 알 수 있다. 필자가 패션뷰티 업계의 좋은 상권의 지표로 삼는 브랜드는 로컬 기업인 손킴그룹 SonKim Group의 여성 속옷 브랜드 베라Vera와 오토바이 헬멧을 파는 논 썬Non Son이다. 이들 매장이 있는지 확인한다. 그 외에도 전국에 2,000여 개 매장을 운영 중인 스마트폰 전문 판매점 테저이지동 Thegioididong과 전국에 각각 130여 개, 170여 개 매장을 운영 중인 KFC, 롯데리아가 있는 상권인지를 확인하면 좋다.

2

왜 사회 공헌 활동을 해야만 하는가

VIETNAM

　외국 기업들이 베트남에 진출할 때 베트남 사람들이 기대하는 것은 크게 세 가지이다.

① 선진 기술 이전
② 일자리 창출
③ 베트남 내에서 사회 환원

　이러한 기대는 베트남뿐만 아니라 모든 신흥개발국의 공통 사항이다. 이제 선진국 반열에 오른 한국에서조차 글로벌 명품 브랜드가 한국에서 벌어들인 수익에 비해 사회 환원에 인색하다는 기사가 해마다 보도되고 있을 정도이다. 그러니 베트남에 진출하는 기업 운영자들은 외국 기업에 대한 곱지만은 않은 시선에 항상 신경 써야 한다. 그나마 제조업체의 경우 선진 기술 이전과 많은 일자리 창출이라는 기대에 부응한다. 하지만 금융, 유통, 소비재 판매 외국 기업에 대해서는 '베트남에서 벌어 해외로 돈을 빼내어 간다'는 부정적인 선입견이 강하다. 그렇기 때문에 해외 기업이 신흥 시장에서 안정적으로 자리를 잡기 위해서는 사회공헌 활동은 반드시 동반되어야 한다.

베트남에 진출한 한국 기업들이 장학 사업, 도서 기증, 집짓기와 같은 다양한 사회공헌 활동을 하고 있다. 그러나 안타깝게도 해당 기업의 특성이 드러나지 않고 일회성 사업에 그치는 경우가 많다. 코로나 팬데믹 영향으로 몇 년간 해외 봉사활동이 대폭 줄어들었지만 이전만 하더라도 한국 기업들이 경쟁적으로 본사 직원들에게 형형색색의 조끼를 입혀서 보육원 아이들과 놀아주기, 저소득층에 음식 전달하기 등 당장 홍보하기 쉬운 사회공헌 활동 위주로 해왔다. 직원들의 해외봉사 활동 역시 직원들에 대한 해외여행 포상 성격도 있어 진정성이 느껴지지 않는다.

국제개발협력 컨설턴트로 베트남에서 활동 중인 진동현 LKIC 센터장은 "기업이 수익 창출 이후에 사회공헌 활동을 하는 개념인 기업의 사회적 가치CSR, Corporate Social Responsibility에서 기업 활동 자체가 사회적 가치를 창출하면서 동시에 경제적 수익을 추구하는 방향인 공유 가치 창출CSV, Creating Shared Value로 넘어가고 있는 추세다. 이때 기업의 사회공헌 활동을 해당 기업의 사업 내용과 직접적으로 연계하여 진행하면 효과성과 지속가능성을 높여 더욱 빛을 발하게 된다"고 조언한다. 베트남에 진출한 한국 기업들 중 자사의 사업과 연계해 일자리도 창출하고 한국의 좋은 기술과 경험을 전수하는 사례가 몇 가지 있다.

아모레퍼시픽의 메이크업 유어 라이프 캠페인

(출처: 아모레퍼시픽)

아모레퍼시픽의 '메이크업 유어 라이프' (2015년~현재)

아모레퍼시픽은 화장품 회사답게 '메이크업 유어 라이프Make Up Your Life'라는 캠페인명으로 암 치료 과정에서 탈모와 피부 변화 등 급작스러운 외모 변화로 심적 고통을 겪는 베트남 여성 암환자들에게 화장 노하우를 전수하는 사회공헌 활동을 하고 있다. 아모레퍼시픽 화장품 판매사원들이 여성 암환자들이 자신감을 되찾고 일상으로 빠르게 복귀할 수 있게 도와주고 있다.

2008년 한국에서 시작한 이 캠페인은 필자가 아모레퍼시픽에서 근무하면서 '메이크업 유어 라이프'라는 슬로건도 네이밍하고 아세안에서는 베트남에서 처음으로 시작해 싱가포르, 말레이시아, 태국, 인도네시아 등 아세안 전역으로 확장해 자부심을 가지고 해온 일이다. 베트남에서 이 캠페인을 진행하면서 예상하지 못했던 효과가 있었는데 바로 내부 직원들의 업무에 대한 자부심과 회사에 대한 충성심이었다. 본인들은 단순한 화장품 판매사원이라 생각했다가 자신들이 암환자들에게 자신감과 용기를 불어넣어 줄 수 있는 사람이라는 것을 깨닫고 좋은 일을 하는 회사에 대한 충성심이 생기게 되었다고 자랑스러워했다.

뚜레쥬르＋코이카의 '제과제빵학교' (2013년~현재)

베트남 베이커리 1위 업체인 뚜레쥬르는 2013년 코이카와 함께 소득 수준이 상대적으로 낮은 응우옌 성 한-베 기술학교 내에 제빵학교를 설립했다. 연간 100명의 응우옌 지역 사람들이 6개월간 60가지 이상의 고급 제빵 기술을 무상으로 교육받고 있다. 교육 과정을 마친 졸업생들은 뚜레쥬르 제빵사로 취업하거나 제과점을 창업해 경제적 자립을 할 수 있도록 돕고 있다. 마땅한 일자리가 없는 농촌 지역에서 한국식 제빵 기술을 전수하고 기업이 참여하는 교육을 통해 기업은 자사에 필요한 인력을 확보할 수 있고 기업의 대외적인 이미지도 개선할 수 있는 좋은 사례이다.

롯데그룹＋코이카의 '베트남 유통 서비스 산업 상생 발전 역량 강화 사업' (2017~2022년)

롯데그룹 역시 2017년 코이카와 공동으로 베트남 호찌민 산업대학교에 LKIC라고 하는 유통 서비스 교육센터를 개설해 베트남에서는 생소한 개념인 유통과 서비스 관련 교육 과정을 운영 중이다. 현재까지 1,600여 명에 달하는 수료생을 배출했다. 특히 유통 실무 구직자 과정, 베이커리와 델리카 실무 구직자 과정 수료생들에게는 베트남에 진출해 있는 롯데호텔, 롯데백화점, 롯데마트 등 롯데의

롯데그룹과 코이카의 베트남 유통 서비스 산업 상생 발전 역량 강화 사업

(출처: LKIC)

유통 서비스 계열 법인에서 현장 실습을 진행한다. 우수 수료생에게는 취업 기회를 제공하고 있다.

오리온의 '베트남 고향 감자 지원 프로젝트' (2017~현재)

베트남 제과업계 1위인 오리온은 자사의 감자칩에 사용되는 감자를 비용이 저렴한 수입산에만 의존하지 않고 베트남 농가에서 수매함으로써 농민들과 상생 발전을 위한 활동을 하고 있다. 베트남 기후에 적합한 우수한 품종의 씨감자를 농가에 보급할 수 있도록 베트남 국립농업대학교에 씨감자 연구 시설을 기증하고 감자 재배 농가에 트랙터를 지원해서 농업 효율성과 생산성을 향상하고 있다. 3,000개 농가에서 연간 1만 톤의 감자를 수매해 농가들의 안정적인 소득을 보장하는 것은 여성들과 아이들의 삶을 개선하는 데에도 도움이 된다. 소득 수준이 낮은 농가에서는 아이들을 학교로 보내지 않고 노동을 시키거나 여성들에게 폭력을 행사하는 경우가 있는데 소득이 증대되면 이런 일들이 줄어들기 때문이다.

지금까지 소개한 한국 기업들의 사회공헌 활동은 자사의 사업 영역과 직접적인 관련이 있으면서도 기업의 홍보가 노골적으로 드러나지 않는 모범적인 사례이다. 이외에도 글로벌 음료 기업 펩시는 마케팅 프로모션인지 사회공헌 활동인지 분간이 안 되는 이벤트를 통해 베트남 사람들의 감성을 자극하며 큰 호응을 얻고 있다.

펩시의 '설 명절 고향 보내주기 이벤트' (2013년~현재)

베트남 사람들도 '설에는 고향에 가야 한다'는 정서가 한국인과 동일하여 음력 설날에는 민족 대이동 귀성 전쟁이 벌어진다. 대중교통 수단이 부족하다 보니 오토바이로 2박 3일 동안 고향에 가는 사람들이 상당수이다. 그래서 펩시는 2013년부터 음력 설 명절에 고향에 돌아가고 싶어도 주머니 사정 때문에 가기 힘든 젊은층을 대상으로 고향 보내주기 이벤트를 해오고 있다. 1,000킬로미터 넘게 떨어진 곳은 전세 비행기로, 그 외 지역은 전세 버스를 동원해 사람들을 집으로 보내주고 있다. 마케팅 이벤트에 가깝지만 베트남 고객들에게는 사회공헌 활동으로 받아들여지고 있다.

비나밀크의 '베트남 모든 아이들이 우유를 마실 수 있도록 캠페인' (2008년~현재)

베트남 국민기업으로 사랑받고 있는 비나밀크Vinamilk의 대표적인 사회공헌 활동은 저소득층, 소수민족, 낙오 지역의 아이들이 도시 지역 아이들보다 키가 작다는 조사 결과에서 시작되었다. 베트남 정부는 특정 지역이나 사람들이 불평등해지지 않도록 균형 발전을 고려한다. 공기업인 비나밀크를 통해 베트남 정부가 원하는 사회공헌 활동이 무엇인지를 짐작할 수 있기 때문에 우리 기업들이 베트남에서 사회공헌을 할 때 잘 살펴봐야 할 사례이다. 과거 한국에서도 그런 것처럼 베트남도 빠른 경제 발전으로 소득 수준이 높아지기 시작했을지라도 아직도 병문안을 갈 때는 영양 보충을 통한 빠른 회복을 기원하며 멸균우유나 분유를 선물로 사 가는 문화가 있을 정도로 우유는 남다른 의미가 있다. 비나밀크는 2022년 기준 15년간 50만 명의 아이들에게 4,060만 잔 분량의 우유를 제공했다. 특히 도시 전체가 봉쇄되어 바깥을 나갈 수 없었던 코로나 팬데믹 기간 중에도 비나밀크는 아이들이 우유를 마실 수 있게 지원해주어 국민기업다운 모습을 보여주었다.

농축산용품 업체들의 농민 대상 사회공헌 활동

베트남의 비료와 농약 기업인 록쩌이그룹Loc Troi Group은 자사의 최종 소비자인 농부들을 중심으로 사회공헌 활동을 하고 있다. 2004년에 설립된 기금을 통해 12년 동안 가난한 농부들에게 7,000여 건의 녹내장, 백내장 수술을 지원해왔다. 또한 비료와 농약을 안전하고 환경을 해치지 않게 사용하는 교육도 지속적으로 시행하고 있다.

또한 베트남 2위 사료 기업인 그린피드 비엣트남Greenfeed Vietnam은 가난한 축산 농민들이 돈이 없어 자녀들을 학교에 보내지 않는 일이 발생하지 않도록 2년간 무이자로 2,000만 동(100만 원)을 빌려주고 있다. 또한 축산 농민의 자녀가 학교에서 좋은 성적을 거두고 축산업에서도 좋은 결과를 도출한 농가에는 빌려준 돈의 20퍼센트를 탕감해주고 있다.

이외에도 다양한 기업들의 재미나고 다채로운 사회공헌 활동들이 무궁무진하다. 보다 많은 한국 기업이 자사의 색채가 묻어나고 창의적이고 감성적으로 다가갈 수 있는 사회공헌 활동을 펼쳐가길 기대한다.

3

베트남 가짜 뉴스는 누구에게 이득이 되는가

VIETNAM

유튜브에서 '베트남'을 검색하면 가짜 뉴스들이 쏟아져 나온다. 베트남에 진출한 주요 한국 기업들이 앞다투어 철수하면서 베트남 경제가 부도 위기에 처했다는 등의 황당무계한 내용들이 난무하고 있다. 조회 수를 올려 돈을 벌려는 치기 어린 유튜버들의 장난으로 받아들이기에는 베트남에 진출한 한국 기업들의 활동에 악영향을 끼치는 것은 물론이고 한국-베트남 양국 간의 외교 갈등과 우호적인 국민감정마저 무너뜨릴 정도로 내용이 악의적이다.

최근 새로운 투자처를 찾아 베트남에 온 한국인 투자자들이 가장 많이 하는 질문은 '삼성전자가 베트남에서 철수한다는데 사실인가요?'라는 것이다. 당연하게도 사실이 아니다. 베트남 상황을 잘 모르는 일반인들이 유튜브 영상에 현혹될 수는 있겠지만 투자를 전문으로 하는 기업조차도 재확인을 할 정도로 가짜 뉴스의 영향력이 심각하다. 해당 동영상들의 조회 수는 일반적으로 15만 회에서 70만 회로 다양하며 많게는 100만 회를 훌쩍 넘기도 한다. 이들 영상들은 허위 사실에 자극적인 제목을 달고 있다.

> [긴급] 베트남 파산 선언 IMF에 긴급 지원 요청 (뉴스팩트럼)
> "베트남 총리 탄핵절차 시작" 삼성전자 특단의 조치, 베트남 현지 직원
> 50만 명 일괄해고 (뉴스굿모닝)
> 결국 한국에 무릎 꿇었다. 삼성전자 완전 무인화 선언 (잡식왕)
> 삼성 철수에 분노한 베트남 근로자들. 결국 대규모 폭동 터졌다 (퍼펙
> 트코리아)

모두 허위 사실이고 베트남 국민 입장에서는 매우 모욕적인 표
현들이 난무한다. 서로 다른 계정의 유튜버들인데 4~5곳이 일정한
시차를 두고 번갈아가며 동일한 주제의 영상을 올리는 패턴을 보인
다. 또한 이들은 공통으로 전혀 무관한 베트남 현지 언론의 보도를
근거 자료로 활용한다. 베트남어를 읽을 수 없는 한국인들은 속을
수밖에 없다.

그렇다면 이 가짜 뉴스들에 대한 팩트는 무엇일까? 삼성전자 베트
남 스마트폰 공장의 철수에 관해서는 삼성전자 인도 공장의 스마트
폰 생산 물량이 대폭 늘어나면서 베트남 공장 스마트폰 생산량이 일
부 줄어들 수 있다는 관측은 있다. 2018년 삼성전자는 인도 노이다
지역에 세계 최대 규모의 스마트폰 공장을 세우고 2019년 9월 마
지막 중국 공장을 문 닫으면서 중국 생산량을 모두 인도로 돌렸다.
여기에 더해 삼성전자 스마트폰 전체 생산량의 50~60퍼센트를 차
지하는 베트남 공장들이 코로나19로 인해 생산에 차질을 빚게 되자
공급처 확대를 위해 인도로 물량을 분산한다는 관측이 베트남에서

철수로 와전된 것으로 보인다. 업계 관계자는 '베트남에는 고가 모델 중심으로, 인도에는 중저가 모델 중심으로 물량이 조정될 것으로 관측된다'고 조심스럽게 전망했다.

삼성과 더불어 베트남에 많은 투자를 하고 있는 LG그룹이 철수한다는 가짜 뉴스도 넘쳐난다. 최근에는 LG디스플레이가 베트남에서 철수해 파주로 돌아온다는 내용이 퍼졌다. 이는 디스플레이 산업 전반에 대한 이해가 부족해서 생긴 오해이다. LCD는 중국의 저가공세와 공급과잉으로 적자 산업이 된 지 오래이다. 그래서 삼성디스플레이는 2020년 LCD 사업 자체에 대한 포기 선언을 했고 LG디스플레이는 2021년 고부가 가치 OLED에 집중하기로 한 것이다. LG디스플레이 관계자 역시 금시초문의 가짜 뉴스이자 말도 안 되는 헛소문이라고 일축했다.

베트남에서 토요타를 누르고 판매량 1위를 달성하고 있는 현대자동차가 베트남에서 철수를 결정하자 베트남 노동자들이 사장실을 점거하며 시위를 했다는 73만 회 조회수를 기록한 동영상도 있다(유튜브 계정 '궁금해요-해외반응'). 이 가짜 뉴스에서 황당한 것은 현대자동차가 베트남 노동자들을 해고하고 보스턴 다이내믹스의 '스팟Spot'을 투입했다고 하는데 '스팟'은 생산제조용 로봇이 아니라 인공지능 '개 로봇'이다. 보스턴 다이내믹스는 현대자동차가 인수한 로봇 공학 기업으로 스팟 4대를 현대자동차 판매 매장에 브랜드 이미지 재고와 홍보용으로 배치한 것을 그럴듯하게 날조했다. 이 가짜 뉴스에 대해 현대자동차 관계자에게 문의해보니 역시나 '처음 들어보는 이야기'라며 황당해하는 반응이다. 현대차는 오히려 현재 연간 7만 대 생산 규모인 1공장에 이어 연간 10만 대 생산

능력의 제2공장을 증설하고 있다.

유튜브에는 한국 기업들이 베트남에서 철수한다는 가짜 뉴스들이 넘쳐나지만 정작 글로벌 기업들이 미중 갈등을 피해 베트남으로 생산기지를 이전하고 있다. 2022년 8월 20일 로이터 통신은 애플의 아이폰을 생산하는 폭스콘이 베트남 북부에 공장 설립을 위해 베트남 지방정부와 3억 달러, 우리 돈으로 약 4,000억 원의 투자 양해각서를 체결했다고 보도했다. 현재 베트남에서는 에어팟, 애플워치, 아이패드를 생산하고 있는데 이제 핵심 상품인 아이폰도 베트남에서 생산할 것으로 보인다.

삼성전기는 2023년 7월부터 베트남에서 차세대 반도체 기판 생산을 목표로 하고 있다. 2021년 12월 1조 3,000억 원 투자를 결정했고 2022년 2월 3,000억 원을 추가 투자하기로 했다. 고부가가치의 차세대 패키지 기판인 FCBGA를 베트남에서 생산하게 되면서 기존 단순 조립 가공 생산기지에서 이제는 공정 기술 난도가 높은 산업까지 생산할 수 있는 베트남의 매력도는 계속해서 높아지고 있다.

일본은 오랜 기간 아세안 지역에 천문학적인 금액을 쏟아붓는 인프라 투자와 개발 원조를 통해 강한 영향력을 확대해왔다. 그러다 지난 20여 년간 중국이 그 영향력을 빼앗으며 아세안은 일본과 중국의 각축장이 되고 있다. 하지만 오직 베트남에서만은 한국의 영향력이 상당하다. 가짜 뉴스로 인해 한국과 베트남의 관계가 안 좋아지면 이득을 보는 세력은 일본과 중국이다. 허위 사실을 유포하고 한국-베트남 양국의 관계를 위협하는 유튜버들에 대한 민형사상의 처벌을 강력히 촉구한다.

⭐ Q&A

베트남 진출 때 가장 많이 하는 질문들

Q 베트남에서 사업에 실패하신 분들도 많고 절대 베트남에서 사업하지 말라는 말도 많이 듣고요. 그런데도 베트남을 긍정적으로 보는 것이 맞나요?

A 이렇게 설명을 해볼게요.

군대에 다녀오신 분들은 모두 자기 군 생활이 제일 힘들었다고 말합니다. 해병대, 육군, 해군, 공군, 의경, 교도대 등등 다양한 군 복무가 있습니다만 다들 자신이 제일 힘들었다고 목소리를 높입니다. 각 군 내에서도 어느 지역에서 일했는지 어떤 포지션에 있었는지에 따라 또다시 힘든 것을 나눕니다. 군에 다녀온 사람들 사이에서 가장 한직이라 부르는 업무 담당일지라도 춥고 서럽고 힘든 것이 군 복무입니다. 해외 사업도 마찬가지가 아닐까 싶습니다.

다들 아시겠지만 사업이라는 것 자체가 매우 힘들고 큰 위험을 껴안고 하는 일입니다. 국내 창업 전문가의 말을 빌리면 창업 5년 내 실패율이 80퍼센트를 웃돈다고 합니다. 그런데 말도 잘 안 통하고 낯선 해외에서 사업하는데 힘들지 않을 수가 없습니다. 법규와 시스템이 잘 갖추어진 선진국에서 사업을 한다고 해도 국내에서보다 창업 성공률이 더 높다고 할 수는 없을 것입니다. 사회 환경과 법 제도가 불완전한 국가에서 근무하거나 사업을 하면 당연히 더 힘듭니다. 다만 여러 나라를 다 겪어 보고 사업하시는 분들은 대체로 '베트남 정도 환경이면 신흥국 중에서는 사업하기가 꽤 괜찮은 곳'이라고 합니다.

베트남에서 처음 사업을 하는 입장에서는 그래도 동의하기 어려울 것입니다. 외국인들이 앞선 경험과 상대적으로 풍부한 자본으로 쉽게 성공할 수 있는 곳이라면 그 나라는 후진국 중의 후진국일 것입니다. 하지만 다른 경쟁자들도 힘들어하기 때문에 이 힘든 진입 장벽을 뚫고 들어가기만 한다면 빠르게 자리를 잡아갈 수 있다는 장점도 있다는 것을 생각하시면 좋을 듯합니다.

Q 베트남의 부정부패에 대해서 어떻게 생각하나요?

A 부정부패 없는 나라가 어디 있겠습니까?

우리나라도 부정부패가 극심했지만 결국은 우리 스스로 자정하고 변화해서 선진국 대열에 올라서지 않았나요. 1980년대 우리를 바라본 서구인들이나 일본인들은 '코리안 타임'이라며 약속 시간에 30분 이상 늦고' '일 처리가 꼼꼼하지 못하고' '일이 잘못되면 변명만 한다'라며 부정적인 평가 일색이었습니다. 우리나라가 이렇게 빠르게 발전할 것으로 생각하지 못했을 것입니다. 2000년대 직전까지만 하더라도 우리나라의 인기 있는 TV 프로그램 상당수는 일본에서 모방한 것들이었고 젊은 사람들은 우리 가요보다는 미국의 팝송이나 일본의 J-POP을 많이 들었습니다. 하지만 20년이 지난 지금은 우리나라 가수들이 빌보드 차트를 연속해서 석권하고 전 세계인의 마음을 흔들고 있습니다. 20여 년 전의 우리 역시도 지금의 우리나라를 상상도 못 했습니다.

제가 확신에 차서 베트남 미래를 긍정적으로 보는 이유는 지난 책 『왜 베트남 시장인가』에서 자세히 다루었습니다. 베트남이 잘 될 수밖에 없는 이유는 '국가 사회 전체가 배우고자 하는 욕망' '여성 영웅의 나라' '사회주의 국가임에도 개방적인 사람들' '새로운 것에 매우 빠르게 적응하는 민족성' 등을 꼽을 수 있습니다. 아세안 10개국을 다녀보고 계속해서 살펴보고 있는 제가 봤을 때 이런 모습을 지닌 신흥국가는 없습니다. 그러므로 수많은 신흥국가 대부분은 30년 넘게 '곧 발전할 나라 후보'이기만 한 것입니다. 베트남이 아직 부족한 것이 많지만 정말 빠르게 변하고 발전하고 있어서 분명 기대하셔도 좋다고 확신합니다.

정도의 차이는 있지만 부정부패 없는 나라는 없습니다. 부족한 것 많고 불편한 것투성이일지라도 대외적인 환경이나 대내적인 상황을 다 살펴봐도 그나마 괜찮은 곳이 베트남이라는 것은 세계적인 투자자들의 대체적인 의견입니다. 베트남에서 사업을 전개하실 때 어떻게 불합리하고 불편한 것을 최소화할 수 있는지를 알아 가시는 것이 가장 중요하지 않을까요?

Q 베트남에서 어떤 사업을 해야 성공할 수 있을까요?

A 아주 많이 받는 질문입니다.

제가 그걸 알면 벌써 부자가 되지 않았을까요? 그런데 제가 13년째 시도해보고 살펴본 결과는 이렇습니다. 베트남에서는 '무엇을' 하느냐보다 '어떻게' 하느냐가 제일 중요한 것 같습니다. 뻔한 이야기입니다만 비슷한 제품을 판매해도 베트남 소비자에게 어떻게 접근하느냐에 따라 전혀 다른 결과가 나오니까요. 저뿐만 아니라 베트남에서 사업하시는 많은 분이 경험하시는 것인데 본인의 능력과 상관없이 운 좋게 베트남 파트너나 현지 직원을 잘 만나서 일이 잘되는 예도 있습니다. 저의 경우 한국에서도 팔기 힘든데다 베트남 공장 노동자의 한 달 월급에 버금가는 고가 미용 기구를 어떻게 팔아야 할지 고민이었습니다. 그런데 저희 직원이 만나보자고 해서 미팅을 가진 현지 업체가 의외로 쉽게 잘 팔아줘서 놀란 적이 있었습니다. 물론 그 업체와 상담할 때 한국에서는 쉽게 받아들이기 어려운 조건이지만 베트남 사업자들의 판매 방식을 잘 이해하고 있었기 때문에 과감하게 베트남 방식에 맞춰줘서 협상이 잘 될 수 있었고 좋은 결과가 나왔습니다.

베트남은 겉으로는 참으로 쉬워 보이는 시장입니다. 문제점들이 눈에 보이고 한국에서 하던 것처럼 하면 문제가 해결될 것처럼 보이거든요. 그런데 문제는 내가 아무리 능력이 뛰어나고 경험이 많더라도 외국인은 외국인일 뿐이라서 할 수 있는 일에 한계가 있습니다. 나와 함께 일을 해주어야 하는 현지인 동료나 파트너가 처리하면 쉽고 원활하게 진행되는 일들이 있습니다. 반대로 현지인들이 대응하기 힘든 외국 바이어와의 협상이라든지 한국에서 좋은 물건을 잘 찾아내서 값싸게 수입하는 것은 외국인인 내가 잘 해내면 좋은 결과를 얻을 수 있습니다.

Q 베트남 이커머스 시장이 크다고 하는데 어떻게 접근해야 하나요?

A 베트남 소비자 입장에서 생각하세요.

누구나 쉽게 하는 말입니다만 그것이 진리입니다. 베트남 이커머스를 통해 물건을 판매하시려는 본인의 상황에 대해 몇 가지만 점검해보세요.

① '제대로 된' 베트남어 제품 배너가 준비되어 있나요?
② 품질에만 충실하다 보니 제품 디자인에는 소홀하지는 않았나요?
③ 소득 수준이 낮은 나라에 파는 것이니 무조건 잘 팔릴 거라고 믿고 있나요?
④ 한국에서 잘 팔리는 제품이 당연히 베트남에서도 잘 팔릴 것으로 생각하고 있나요?
⑤ 베트남 소비자의 질문과 컴플레인에 대해 베트남어로 대응할 준비가 되어 있나요?

잠시만 멀리 생각해보면 당연한 것들인데 베트남에 이커머스에 진출하려는 기업 대부분이 이런 준비가 안 되어 있습니다. 한국 홈쇼핑에서 못 팔고 남은 제품을 헐값에 팔면 팔릴 것이라는 안일한 생각을 하시는 분들도 많습니다. 당연히 베트남 소비자가 제품에 대해 이해할 수 있게 베트남어로 제품 설명과 마케팅 문구가 적혀 있어야 하는데 그에 대한 준비가 안 되어 있고 영어로 된 것만 달아 놓습니다. 심지어는 한국어 잘하는 베트남 사람이 많지 않냐며 한국어로 된 배너를 달아 놓은 경우도 많습니다. 이런 기본적인 것을 먼저 확인해 보세요.

베트남 소비재 업종에서 근무하시는 분들의 한결같은 고민은 베트남 소비자들의 욕구를 파악하기 어렵다는 것입니다. 그런데

2000년대 이후에 태어난 베트남 젊은 소비자들의 소비행태는 점점 글로벌 스탠더드에 가까워지고 있습니다. 이들의 소비행태가 궁금하시면 베트남 3대 이커머스인 쇼피Shopee, 라자다Lazada, 티키Tiki에서 판매상들이 반복적으로 파는 브랜드와 제품들이 무엇인지를 살펴보세요. 그리고 이 이커머스들에서는 검색되는 제품마다 누적 판매 수량이 표기되어 있습니다. 판매가 많이 되는 제품들이 어떤 제품들인지 살펴보면 고민이 어느 정도 해결되실 겁니다.

Q 베트남에서 좋은 직원은 어떻게 구할 수 있나요?

A 좋은 직원은 한국에서도 구하기 힘듭니다.

한국에서도 어떻게 하면 좋은 직원을 구할 수 있을지가 모든 사장님과 인사 담당자의 고민이 아닐까 싶습니다. 베트남에서 좋은 직원을 만나기는 한국에서보다 더 어렵습니다. 그 이유는 스스로 베트남을 잘 알지 못하면 좋은 직원을 만나도 좋은 직원인지 못 알아볼 가능성이 매우 크기 때문입니다. 베트남 법적 한 달 최저 임금이 우리 돈으로 26만 원가량 되니 우리나라의 법적 최저 임금 200만 원의 12.5퍼센트 수준입니다. 그렇다면 한국인 노동자에게 기대하는 것의 12.5퍼센트만 베트남 노동자에게 기대하고 일을 시키는 것이 맞습니다. 하지만 그런 단순 계산 방식으로 사람을 대할 수는 없습니다. 고용하는 입장에서는 베트남 현지 인건비에 맞추어 돈을 지불하고 한국인과 같은 업무 능력을 보이길 바랄 수밖에 없습니다. 하지만 현실은 한국에서는 1명이 할 일을 베트남에서는 3~4명이 하는 경우가 대부분입니다. 만약 한국인 못지않게 일 잘하는 직원을 구한다면 급여가 200만~300만 원 수준으로 올라갑니다. 베트남 인건비가 한국보다 싸다고 해서 무엇이든 다 싸다고 생각하면 오산입니다. 물론 베트남에서 현지 직원들과 부대끼다 보면 베트남 현지 인건비 수준인데도 가르쳐주는 대로 금방 배워서 날이 갈수록 성장하는 훌륭한 직원들을 만나게 됩니다.

여기에서부터는 여러분의 인성과 능력에 따라 훌륭한 직원이 될 수도 있고 그저 그런 직원이 될 수도 있습니다. 직원들에게 소리치고 자주 혼내면서도 직원들의 가족 경조사까지 살뜰하게 챙기는 분들도 있고, 직원의 적성과 능력을 잘 살펴 해당 직원이 가장 잘 할 수 있는 일을 맡겨서 성장시키는 분도 있고, 현지 식당에서 베트남 음식과 술을 마시며 직원들과 가까워지는 분들도 있고 일 잘하는 직원을 내 사람으로 만드는 방법은 천차만별입니다.

그리고 베트남 직원들이 단돈 1~2만 원 차이로 의리 없이 다른 직장으로 옮긴다고 불평하는 분들이 많습니다. 일 잘하는 직원이라면 과감하게 급여를 올려서 다른 곳으로 가지 못하게 잘 잡으세요. 만약 그 직원을 대체할 수 있는 직원이 있다면 모르겠지만 베트남에서 내 마음에 들게 일 잘하는 직원을 만나는 것이 쉬운 일은 아닙니다. 왜 단돈 1~2만 원 알아서 챙겨주지 못해 좋은 직원을 놓치나요. 중요한 것은 '베트남에서 내 자신이 어떻게 할 것인가'입니다.

Q 베트남 부동산 투자는 어떤가요?

A 저의 이전 책 『왜 베트남 시장인가』에서 다루었습니다.
10년 이상 장기 투자할 것이 아니라면 단기 투자는 하지 마세요.

2023년 현재 베트남을 비롯한 한국, 미국 등 전 세계 부동산 시장이 최고점 대비 30퍼센트 이상 하락한 곳이 많으니 투자 자체는 좋은 기회입니다. 다만 반드시 합법적인 방식으로 투자하셔야만 합니다.

2015년 7월 외국인이 주거용 부동산을 50년 장기 임대할 수 있게 법이 바뀐 직후에는 단기적인 부동산 매매로 이익을 거두신 분들이 많았습니다. 과거에는 부동산 투자금도 베트남 현지 교민들과 환치기를 통해 불법으로 확보해도 별 탈 없이 부동산을 매매했습니다. 하지만 이제는 많이 어려워졌습니다. 한국 금융 당국과 베트남 금융 당국 모두 지켜보고 있습니다. 베트남 아파트 시행사 중에는 부동산을 취득할 때 자금 출처 증빙을 요구하는 곳이 늘고 있습니다. 조만간 모든 외국인에게 적용될 것으로 보입니다.

과거와 같이 환치기를 통해 부동산을 취득했다가는 벌금에 세금까지 더해져서 큰 손해를 볼 가능성이 큽니다. 운이 좋게 교민들과 환치기를 했다고 해도 본인도 모른 채 불법 도박 자금 세탁에 가담하게 되는 경우도 있으니 유의하시기 바랍니다. 어렵게 부동산 투자하지 마시고 한국에서 쉽게 가입할 수 있는 베트남 펀드나 ETF를 추천해 드립니다.

Q 베트남 전기차나 시장에 대한 전망은 어떤가요?

A 단기적으로 부정적으로 봅니다.

겨울철 하노이의 대기오염은 세계 최악 수준으로 코로나19 이전인 2019년에는 공기 질 최악의 도시로 뽑힐 정도입니다. 일반 오토바이 한 대가 뿜어내는 매연은 자동차 4대 수준입니다. 베트남에 미등록된 것을 포함해서 오토바이가 6,000만 대가량이니 베트남 전국에 2억 4,000만 대 이상의 자동차가 매연을 뿜어내는 셈입니다. 그래서 베트남 정부는 전기 자동차, 전기 오토바이를 대폭 늘리고 싶어합니다. 하지만 당장 전기차 관련 인프라를 확충할 예산이 없습니다. 전기 자동차, 전기 오토바이를 활성화하려면 충전기 설치와 전기세 인하가 선결되어야 합니다. 하지만 지금 당장 베트남 전국에 구축해야 할 도로와 철도, 공항 등 필요한 돈이 천문학적입니다. 전기 자동차나 전기 오토바이가 당장 급한 일은 아니기 때문에 단기적으로 베트남 시장에서는 부정적이라 생각합니다.

Q 한국인들 대상으로 어떤 사업을 하면 좋을까요?

A 기본적으로 베트남에서 한국인을 대상으로 하는 사업에 대해서는 부정적입니다.

한국과 베트남을 오고 가는 물동량이 많다 보니 한국에서 판매하는 제품 가격보다 베트남에서 판매되는 가격이 더 싼 경우도 있습니다. 베트남에서 사는 한국인이 20여만 명이나 되지만 새로이 진입하는 경쟁자들은 계속해서 늘어나고 가격 인하 싸움에 쉽게 참여하다 보니 어려움은 가중됩니다. 베트남에서 사업하신다면 힘들더라도 베트남 소비자를 상대로 하는 사업을 하시길 바랍니다. 나에게 쉬운 일은 경쟁자에게도 쉽고 나에게 어려운 일은 경쟁자에게도 어렵습니다.

Q 베트남에 진출하려는 분들에게 당부하고 싶은 말이 있나요?

A ① 내가 쉽게 생각한 것은 이미 다른 사람들이 생각했다.

쉬워 보이는데 다른 한국 분들이 잘하고 있지 않은 분야가 있다면 '분명 이유가 있을 것이다'라고 의심하시고 '어떤 문제가 있었는지' 의심해보시기를 바랍니다. 구조적인 어려움이 있다면 기존의 다른 사람들과 달리 그것을 극복해 낼 수 있는지에 따라 판단하시기 바랍니다.

② 한국에서의 상식이 베트남에서는 아닐 수 있다.

한국에서는 당연하다고 생각되는 것이 베트남에서는 전혀 당연하지 않을 수 있습니다. 베트남은 말 그대로 외국이니까요. 마찬가지로 한국에서 가장 잘 팔리는 내 제품이 베트남에서는 가장 안 팔릴 수 있습니다. 기후와 환경이 전혀 다른 곳이기 때문입니다.

③ 최소 6개월간의 시간을 두고 천천히 진출하실 베트남에 사업체를 설립하거나, 투자를 결정하셨더라도 최소한 6개월은 베트남 현지에서 생활해보시길 바랍니다.

6개월간 베트남어 공부도 해보시고 현지 음식도 드셔 보시면서 본인이 베트남에서 잘 지낼 수 있는지, 지내보니 잠깐 출장으로 다녀갔을 때보다 시장 상황이 어렵지는 않은지 꼭 판단해보시길 바랍니다.

④ 여행자 보험에 꼭 가입하시길 바랍니다.

베트남에서 병원 갈 일이 있으면 한국인 의사가 있는 병원이나 국제 병원에 가게 됩니다. 감기에 걸려서 진료받고 약을 받아도 비용이 우리 돈으로 10만~15만 원까지 나옵니다. 한국에서야 우리가 국민 의료보험에 가입되어 있어 자비 부담이 적지만 해외에 나오면 그런 것이 없으니 비쌀 수밖에 없습니다. 베트남 물가 수준을 생각해서 베트남 현지 병원에 가시면 말도 잘 안 통하고 한없이 기다려야 하고 만족스럽지 못한 의료에 제대로 된 치료를 못 받을 수 있습니다. 별일이 있겠냐 생각하지 마시고 돈을 아낀다는 생각으로 해외 장기 여행자 보험에 꼭 가입해서 베트남에 오시길 바랍니다.

에필로그

베트남은 아세안의 한국이다

'친절하고 근면 성실한데다 사회 전체적으로 교육열도 높아 양질의 인력이 넘쳐 나는 곳이라 미래 전망이 희망적이다. 그런데 항상 약속 시간에 늦고 일이 잘못되면 변명부터 한다. 무질서하며 대중교통을 이용할 때 새치기하는 사람들은 항상 있고 버스가 오면 서 있던 줄은 한순간에 무너진다. 지나치게 민족주의 의식이 강해 국가 전체적으로 위기일 때는 서로 잘 뭉치기는 하지만 외국 기업에 대해 적대적이다. 공무원들에게 뇌물을 주지 않으면 일 처리가 늦어지거나 인허가 자체가 나지 않는다. 일 처리가 투명하지 않아 항상 자국 기업에 유리하게 일을 처리해서 외국 기업이 사업하기 힘들다.'

위 내용은 베트남에 대한 평가가 아니라 1980년대 중반까지 한국에 대한 서양인들의 평가이다. 당시 평가만 보면 한국은 영원히 발전하지 못하는 후진국일 것 같지만 어느새 1인당 국민 소득 3만 2,661달러(2022년 기준)의 선진국이 되었다. 베트남이 부족한 것도 많고 외국인들이 불편부당한 일을 겪게 되는 점도 분명히 있지만 한국이 그래왔던 것처럼 베트남도 수많은 문제를 극복하고 빠르게 발전할 것이라 필자는 확신한다. 그러한 근거와 증거는 지난 책 『왜 베트남 시장인가』와 이 책을 통해 계속해서 제시하고 있다. 그런데도 여전히 베트남에 대한 부정적인 평가들이 다양하게 나온다. 그럴 때마다 필자는 "베트남이 아니면 투자할 만한 나라가 어디인가?"를 되묻는다. 사람들은 으레 인도네시아나 인도를 언급하는데 두 국가의 상황을 아는 필자로서는 그저 아쉬운 웃음만 지을 수밖에 없다. 다만 여러 신흥 개발국가를 거쳐 베트남에서 근무하는 주재원들은 "전에 있던 곳에 비하면 베트남은 일하기 참으로 수월하다."라고 말한다는 것으로 답을 대신한다.

베트남에서 근무했거나 사업을 해 보신 분 중에도 베트남에 대해 부정적으로 평가하는 분들이 많다. 해외에서 근무 경험이 있는 분들은 베트남보다 시스템이 잘 갖추어진 나라에서의 경험을, 베트남이 첫 해외 근무 경험인 분들은 한국을 기준을 판단한다. 그분들이 비교하는 베트남과 한국에 대해 듣다 보면 한국이 참으로 대단한 선진국인 것 같다.

그런데 한국에서 유럽계 자동차 회사에서 근무하는 지인에 따르면 유럽인인 한국지사장이 그렇게 한국인들이 일을 못 한다고 불만이 많다고 한다. 시장을 바라볼 때는 냉철하게 상대적인 평가와 절대적인 평가를 구분할 수 있어야 한다. 필자는 베트남이 절대적으로 '최고의 투자처'라거나 '외국인이 사업하기 가장 좋은 곳'이라고 말하는 것이 아니다. 부족한 것도 많고 외국인으로서 겪어야 할 어려움투성이인 곳이라고 명확하게 말할 수 있다. 하지만 그럼에도 불구하고 기회와 가능성이 크고 사회가 안전하며 지속적인 성장성이 예측되어 다른 어느 신흥 국가보다는 경제 발전 가능성이 높아 외국인이 투자하기에는 베트남이 유리한 조건이 많다고 말하는 것이다.

필자가 베트남에 대해 이렇게 확신하는 이유는 한국인과 베트남인의 성향이 비슷하고 양국의 발전 과정이 너무도 유사하기 때문이다. 따라서 한국이 걸어왔던 길을 베트남이 고스란히 밟을 것이 분명해 보인다. 필자의 의견에 베트남에서 오랫동안 사업을 하고 계시는 분 중 상당수는 격하게 공감한다. 필자의 판단이 맞았는지 틀렸는지는 시간이 지날수록 분명해질 것이다. 이 책을 통해 독자들께서 베트남 시장을 파악하고 판단하는 데 조금이라도 도움이 되기를 바란다.

베트남 라이징

: 베트남의 부상과 한국의 기회

초판 1쇄 발행 2023년 7월 11일
초판 2쇄 발행 2024년 1월 4일

지은이 유영국
펴낸이 안현주

기획 류재운 **편집** 안선영 김재열 **브랜드마케팅** 이승민 **마케팅** 안현영
디자인 표지 정태성 본문 장덕종

펴낸곳 클라우드나인 **출판등록** 2013년 12월 12일(제2013-101호)
주소 우) 03993 서울시 마포구 월드컵북로 4길 82(동교동) 신흥빌딩 3층
전화 02-332-8939 **팩스** 02-6008-8938
이메일 c9book@naver.com

값 19,000원
ISBN 979-11-92966-23-6 03320